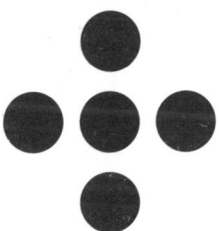

O LIVRO DOS CINCO ANÉIS
Gorin no sho

MIYAMOTO MUSASHI
O LIVRO DOS CINCO ANÉIS
Gorin no sho

Tradução do japonês por
José Yamashiro

O livro dos cinco anéis (*Gorin no sho*)
Notas © 1985: Ichiro Watanabe
Publicadas mediante contrato com Iwanami Shoten, Publishers, Tokyo, Japan
Copyright © 2015 by Novo Século Editora Ltda.

TRADUÇÃO
José Yamashiro

ADAPTAÇÃO PROJETO GRÁFICO
Equipe Novo Século

REVISÃO
Equipe Novo Século

DIAGRAMAÇÃO E CAPA ORIGINAIS
Lumiar Design Estúdio

Texto de acordo com as normas do Novo Acordo Ortográfico da Língua Portuguesa (1990), em vigor desde 1º de janeiro de 2009.

Dados Internacionais de Catalogação na Publicação (CIP)
(Câmara Brasileira do Livro, SP, Brasil)

Musashi, Miyamoto
O livro dos cinco anéis
Miyamoto Musashi; [tradução do japonês José Yamashiro]
Barueri, SP: Novo Século Editora, 2015. (Coleção Estratégia)

Título original: Gorin no sho

1. Arte e ciência militar – Japão – Obras anteriores a 1800 2. Esgrima – Japão Obras anteriores a 1800 I. Título. II. Série.

14-11436   CDD-355.4

Índice para catálogo sistemático:
1. Estratégia: Ciência militar 355.4

NOVO SÉCULO EDITORA LTDA.
Alameda Araguaia, 2190 – Bloco A – 11º andar – Conjunto 1111
CEP 06455-000 – Alphaville Industrial, Barueri – SP – Brasil
Tel.: (11) 3699-7107
www.gruponovoseculo.com.br | atendimento@gruponovoseculo.com.br

SUMÁRIO

Prefácio..........9
A arte da vitória segundo o espadachim invencível, *por Benedicto Ferri de Barros*

Introdução..........23
Da espada ao pincel, a iluminação do perfeito samurai, *por José Yamashiro*

Notas explicativas..........32

Agradecimentos..........33

GORIN NO SHO
O livro dos cinco elementos

1. Terra..........39
2. Água..........65
3. Fogo..........93
4. Vento..........123
5. Vácuo..........143

Sobre o tradutor..........147
Japonês da pátria filho, *por Mirian Paglia Costa*

Cronologia..........153

PREFÁCIO

A arte da vitória segundo o espadachim invencível

BENEDICTO FERRI DE BARROS

Aos 13 anos, Miyamoto Musashi abateu um adulto, seu primeiro contendor em uma luta de espada. Daí até os 30 anos, em suas andanças pelo Japão, como desafiado ou desafiante, medirá forças em outros sessenta duelos, saindo invicto de todos. Consta que somente em dois encontros não chegou ao final: um, com um velho mestre, perito nas artes esotéricas da luta, que o enfrentou com um leque; em outra ocasião, contra um rude camponês que empregou um *kusarigama* – corrente de metal como lançadeira, com um peso (bola de metal) em uma das pontas e pequeno alfanje na outra extremidade. Torna-se uma figura lendária em todo o Japão e, ao mesmo tempo, um "signo de contradição". Cognominado de "o santo samurai", era visto pelos ortodoxos do *kenjutsu*, luta de espadas, como um heterodoxo, fora da lei e das normas, um samurai degenerado.[1]

---

[1] Numerosos filmes, livros e novelas de televisão têm sido produzidos sobre Musashi, destacando-se entre eles as séries cinematográficas dos diretores Hiroshi Inagaki e Tomo Uchida e o romance *Musashi*, de Eiji Yoshikawa (1892-1962), citado por Yasmashiro na Introdução, entre outras fontes japonesas.

Contra rodas as regras, criou uma escola que usava duas espadas, em lugar de uma. A partir de certa altura, abandonou a *nippon-tô*, a espada de aço tida como símbolo nobre do samurai, passando às vezes a enfrentar seus inimigos com espadas de pau – *bokken* –, na realidade, cacetes em formato de espada, com que derrotava seus inimigos. O último deles, Sasaki Kojirô, que abatia com sua espada andorinhas em voo, foi vencido com o cabo de um remo, afeiçoado por Musashi no barco enquanto cruzava o mar para enfrentar seu desafiante, que o aguardava em uma ilha. Liquidou um menino – o último representante de uma academia que o desafiara e lhe preparara uma emboscada com numerosos espadachins – espetando-o contra uma árvore, episódio que a "arte samuraica da espada" considerava herético e hediondo. Herético porque só reconhecia o uso da cutilada no pescoço; hediondo por tratar-se de um menino, ainda que dado como apto por sua academia para desafiá-lo. Era um gigante em estatura e descuidava de sua pessoa e de sua higiene, contra todas as normas da compostura samuraica. Um desesperado. A crônica ortodoxa do *kenjutsu* o abomina. Invicto, retira-se aos 30 anos do "caminho da espada". Tornou-se uma lenda, mas desaparece de circulação. Mergulha em uma "vida oculta".

Reaparecerá quase um quarto de século mais tarde e se inscreverá na memória da posteridade não por seus feitos de espada, mas pelo livro que deixou – *Gorin no Sho, O livro dos cinco elementos,* como Yamashiro aptamente o denomina em sua tradução, e não "dos cinco círculos" ou "dos cinco anéis" –, considerado uma suma da estratégia para a vitória em qualquer campo e contra qualquer inimigo. Livro que vem sendo traduzido e reeditado no mundo inteiro.

No livro[2] em que reunimos os ensaios feitos procurando compreender e explicar o modelo arquetípico da cultura e do homem nipônicos (parte de uma preocupação permanente e de um esforço intelectual mais amplo, o de compreender os caminhos e valores humanos), a dedicatória inclui os nomes de Sugawara Michizane, Minamoto-no Tametomo, Kusunoki Masashige e... Miyamoto Musashi. Uma seleção eminentemente pessoal, aparentemente aleatória e provavelmente incompreensível mesmo para um japonês culto. Sugawara Michizane e Kusunoki Masashige são elevadas figuras do panteão histórico-lendário do Japão. Minamoto-no Tametomo e Miyamoto Musashi – muito embora igualmente lendários – são figuras de segundo plano na história japonesa, tão rica de outros vultos, incomensuravelmente maiores. A razão para uni-los em uma mesma homenagem fora exclusivamente subjetiva: em nossos estudos sobre o Japão, eles emergiram como marcos simbólicos dos valores maiores que procurávamos e nos sentimos devedores das luzes que recebemos ao compreender o que buscavam e representaram com suas vidas e personalidades.

---
[2] *Japão – A harmonia dos contrários*. São Paulo: T.A. Queiroz Editor, 1988.

Sugawara Michizane (805-903), um homem de espírito, cultuado após sua morte como *kami*, divindade, e como patrono da cultura, do saber e da caligrafia, a cuja memória se dedicou o templo Kitano Tenmangu, de Kyoto – um dos cinco mais importantes santuários xintoístas do país –, foi uma das primeiras figuras-símbolos da lealdade, virtude cardeal das relações humanas no Japão, que ele exprimiu com relação ao imperador. Kusunoki Masashige (1294-1336), um homem de ação, general brilhante, cuja estátua de bronze se destaca nos jardins do palácio imperial de Tóquio, representa esta mesma lealdade traduzida militarmente, posta a serviço da linhagem imperial japonesa – instituição basilar da unidade e da continuidade da sociedade nipônica. A Minamoto-no Tametono (1139-1170), guerreiro legendário, se atribui o primeiro *seppuku* ou haraquiri – símbolo máximo da hombridade calcada sobre valores. Afinal, que pode o homem dar mais alto de si do que sua própria morte, que é única e além da qual nada mais pode ser exigido ou dado?

Mas... e Miyamoto Musashi, *rônin* ("homem onda", isto é, samurai que perdeu seu emprego e seu suserano), mero espadachim andejo, solto pelo mundo em busca de seu próprio caminho?

Ao visitar o Japão em 1988, como pagamento de uma dívida emotiva à iluminação intelectual que recebemos dessas figuras, à exclusão do caso de Minamoto-no Tametono (que não conseguimos localizar a tempo), incluímos uma visita obrigatória aos lugares onde se cultiva a memória desses homens. E em todos eles pareceu natural e compreensível aos organizadores do programa o sentido de nossa homenagem. Mas... e Miyamoto Musashi, mero espadachim ambulante, sem senhor e sem maior relevância histórica?

A pergunta nos foi feita em um jantar íntimo de gala, e de despedida, que nos deram nossos anfitriões em Kyoto. Ela já nos tinha sido feita em Kumamoto, quando o secretário do governador Hosokawa e várias personagens da província (estado de Kumamoto) nos levaram em uma visita (que para alguns deles era a primeira) a Reigandô, caverna habitada por Miyamoto nos últimos anos de sua vida, onde teria escrito seu famoso *Gorin no Sho*.[3] Na volta, nos detivemos no marco tumular de Miyamoto. E felizmente nos foi dado, ainda, visitar pequeno museu criado por um particular, onde se reuniam peças de seu memorial – trabalhos de metalurgia, espadas de madeira, desenhos, obras de caligrafia

... À exceção deste museu, tanto o local da Reigandô quanto a lápide tumular de Miyamoto acusavam um

---

[3] Nessa ocasião, visitamos igualmente a propriedade senhorial do atual governador de Kumamoto, Morihiro Hosokawa, 018° de sua linhagem. Foi seu primeiro ancestral, Tadatoshi Hosokawa (1586-1641) – cujo túmulo e lápide funerária vimos nessa propriedade, ao lado das 16 tumbas de seus descendentes –, quem chamou Miyamoto Musashi, como mestre, para viver e ensinar em seus domínios. Como Yamashiro explica na Introdução, foi por solicitação desse grande senhor feudal que Miyamoto escreveu um primeiro tratado de esgrima, poucos anos antes de produzir sua obra principal.

abandono e um esquecimento que pareciam atestar sua pouca importância. Então, por que Miyamoto?

E é que, para nós ao menos, em sua história de vida, ainda que figurante menor da história do Japão, ele simboliza o esforço máximo feito por um homem para realizar-se mediante o desenvolvimento integral e harmonioso das forças do corpo e do espírito, da proficiência física e da busca espiritual: o ideal do *Bunbu Ryôdô*, o caminho duplo que reúne "o pincel e a espada" – o padrão mais elevado que o samurai, como homem de elite, devia buscar –, um arquétipo para o homem japonês. E esse ideal era da mais flagrante atualidade, não só para o homem em geral, como também para o Japão de hoje, que se acha na linha de frente na busca de um sentido para o século XXI. Que sentido dar ao esforço japonês neste limiar do terceiro milênio? Metade de sua vida, Musashi lutara, tornara-se invencível; mas esse caminho se esgotara e não o havia conduzido à plenitude humana que buscava. A outra metade de sua vida, Musashi dedicaria ao espírito. Não estaria aí o rumo para um povo vencedor de tantas lutas, agora em busca de uma vocação que complete seus esforços? Além de potência econômica, que imagem ou mensagem apresenta a nação nipônica? Não há tema de maior atualidade no Japão de hoje do que essa busca de uma identidade espiritual com que possa se apresentar ao mundo.[4]

---

4 A esse respeito, ver capítulo 26 ("Perdido no futuro") de nosso livro *Viagem ao Japão*. São Paulo: T. A. Queiroz Editor, 1991.

Curiosamente, Musashi (1584-1645) vive uma época de inflexão na história japonesa, que apresenta marcante analogia com a do Japão de hoje. Após os 250 anos do xogunato Ashikaga, todo ele convulsionado por incessantes guerras entre os barões feudais, a partir da batalha de Sekigahara (1600), de que Musashi teria participado, instaura-se o xogunato Tokugawa, que daria 250 anos de paz ao Japão. Se a Era Ashikaga fora a da atividade marcial, a Era Tokugawa será a das atividades civis e do espírito. O pincel adquire precedência sobre a espada, o samurai guerreiro terá de se reencarnar no samurai administrador. Os feitos do passado consagram-se como alegorias; embainhada, fora dos campos de batalha, a espada passa a ser cultivada nas academias; as virtudes marciais se institucionalizam nos códigos; o *bushido* (código ético dos guerreiros) encontra seus teóricos. São dessa época os trabalhos de Yamaga Soko, *Shidô* (1665), e o *Hagakure* (1716), de Yamamoto Tsunetomo, nos quais se exaltam as virtudes do guerreiro; e é nesse período que proliferam as escolas de artes marciais (*ryû*) e os samurais desempregados (*rônin*) peregrinam pelo Japão em busca de adversários com os quais possam medir sua mestria. É igualmente desse período (1701) o episódio dos 47 *rônin*, que configura na história japonesa a expressão máxima das virtudes samuraicas.[5]

Musashi é, assim, um símbolo vivo de seu tempo, samurai *rônin* que transita da espada para o pincel,

---

5 Estes pontos se acham mais desenvolvidos em nosso livro citado na nota 2.

tentando reencontrar um destino e redefinir o significado de sua vida em um novo Japão. Nada poderia ser mais significativo de sua busca do que o fato de que remate sua vida dedicado a atividades artístico-artesanais e de que deixe como sua última mensagem o *Gorin no Sho*, no qual codifica a estratégia – essência das artes marciais –, livro que se insere na mesma tendência que viria a motivar posteriormente o *Shidô* e o *Hagakure* citados.[6] O guerreiro se transforma em eremita, o espadachim, em mestre-escritor.

A leitura de O *livro dos cinco elementos* (*Gorin no Sho*) não é fácil. Por numerosas e diversas razões.

Trata-se, em primeiro lugar, de uma obra prejudicada pelas difíceis condições em que Musashi viveu seus últimos anos – em uma caverna e em precárias condições de saúde. Faltou-lhe tempo para o polimento final, aquele trabalho último em que o autor facilita ao leitor o acesso a suas ideias. A urgência se faz sentir desde o início no estilo sintético, abreviado, que Musashi escolheu para sua exposição.

Vem, depois, do lado do leitor, a abordagem errada que se faz da obra. Se ele procura ali um tratado sobre o duelo de espada ou um vade-mécum das técnicas invencíveis usadas por Musashi ou se busca, ainda, um receituário da estratégia da luta e da vitória em qualquer campo – tal como o livro é oferecido na atualidade

---

6 Ver nosso livro citado na nota 2.

– não achará nela o que procura. Não da forma como procura e espera encontrar.

Surgem, em terceiro lugar, especificamente para o leitor ocidental, as dificuldades adicionais representadas, de um lado, pelas ineptas traduções em geral oferecidas e, de outro, pela expectativa não menos absurda de ler o livro como um receituário, e não como um guia filosófico da luta, impossível de ser absorvido com uma única leitura, mas a ser adotado como uma bíblia de comportamento.

Especificamente, Musashi, como o criador de uma escola de duelo – a *Niten-Ichi*, Escola das Duas Espadas – tinha em mira exaltar as virtudes de seu estilo, que o tornou invencível entre todos os lutadores da época. Mas Musashi, como qualquer outro mestre japonês, não pretendia que a teoria pudesse substituir a prática no aprendizado efetivo, nem acreditava – e nisto diferia dos demais mestres das academias marciais – que o *kenjutsu*, arte da luta com a espada, pudesse ser reduzido a técnicas e truques de mãos, pés e golpes secretos.

O secretismo era uma prática universal de todas as escolas de arte japonesa, marciais ou não. O aprendizado dependia da convivência com o mestre, de infinita paciência e repetição, de tal forma que se internalizasse a técnica, a ponto de ela se tornar – como devia ser – espontânea, reflexa e inconsciente.[7] Para o homem que

---

7 Ver, como ilustração, o livro *A arte cavalheiresca do arqueiro zen*, de Eugen Herrigel. São Paulo: Pensamento, 1983, e também *Zen and Confucius in the Art of Swordsmanship*, trabalho de Chozan Shissai (1729),

dava um golpe de espada, assim como para o que dava na caligrafia um toque de pincel ou desenhava uma paisagem *sumi-ê*, a necessidade do pensamento consciente, da deliberação, da escolha, só poderia significar incerteza, indecisão e atraso, perda de espontaneidade e falta de mestria – um despreparo revelador da insuficiente integração de sua pessoa e de sua arte com a espontaneidade e a urgência da realidade, sempre diversa e volátil. Assim ensinava o zen-budismo, que impregnara toda a *praxis* artística, dera o tom do *know-how* especificamente japonês e, desde o primeiro xogunato (1192), se tornara a doutrina de eleição dos samurais.[8]

O leitor atento identificará facilmente as características que acima apontamos na leitura da obra de Musashi. E, se quiser ir diretamente à filosofia que inspira todo o livro, leia em primeiro lugar o final dos capítulos da Água e do Fogo, nos quais o próprio Musashi explicita os objetivos e as limitações de seu trabalho. Sem dúvida, ele tentou uma catalogação exaustiva das diferentes condições de uma luta, mas nem teve tempo nem considerou útil descrever pormenorizadamente as manobras utilizadas em cada caso, já porque não cria em truques, já porque não admitia que ensinamentos pudessem ser transmitidos pela simples via verbal e racional. Não é por outra razão que, ao expor cada uma

---

traduzido e editado por Reinhard Kammer e publicado em Londres por Routledge & Kegan Paul em 1978.

8   Tema desenvolvido em nosso livro citado na nota 2.

das situações táticas, ele termine sempre por recomendar que se pense e se exercite muito sobre cada uma delas. No fundo, para Musashi, a chave da vitória se encontrava antes de mais nada no espírito, ainda que, obviamente, o corpo devesse estar "mil e dez mil vezes" treinado para adequadamente executar seus propósitos.

Seu livro é, assim, antes um breviário do que um manual ou um tratado – e é neste sentido que, adorado como um guia e transliterado metaforicamente, pode ser entendido e aplicado como uma suma da estratégia para qualquer caso e tipo de luta. Pois a estratégia, ou a consideração global de todos os aspectos envolvidos em uma luta, foi o que singularizou cada um dos conhecidos confrontos de Musashi e o tornou insuperável no *kenjutsu*. Segundo a mitologia editorial ocidental, é neste sentido que os empresários japoneses o utilizam, a fim de se preparar para a luta econômica. E, se assim o utilizam, certamente poderão dele colher todos os segredos da invencibilidade.

O livro de Miyamoto Musashi traduzido por José Yamashiro aparece a partir da edição Iwanami. Acompanhamos bastante de perto a rigorosa honestidade com que ele se dedicou a esse trabalho, baseando-se na mais autorizada edição japonesa da obra, confrontando sua versão com a de edições nas línguas francesa e inglesa, recorrendo em cada passagem obscura à opinião de especialistas, oferecendo o original de seu trabalho à análise de diferentes críticos. Já conhecíamos a obra de uma edição americana – praticamente ininteligível, seja pelas liberdades abusivas que o tradutor adotou com relação ao texto original, seja pelo seu despreparo quanto a assuntos os mais elementares da história e da cultura nipônicas.

O trabalho de Yamashiro é outra coisa: tenho para mim que sua versão é a mais cuidada e fiel de quantas já se fizeram em línguas ocidentais.

INTRODUÇÃO

*Da espada ao pincel, a iluminação
do perfeito samurai*

José Yamashiro

Segundo suas próprias palavras, Miyamoto Musashi nasceu no ano de 1584, na então província de Harima, atual *Hyôgo-ken* (província de Hyôgo). Seu pai chamava-se Shinmen Munisai Takehito, motivo pelo qual Musashi assinou este livro como Shinmen Musashi. Seu sobrenome mais conhecido, Miyamoto, vem da família materna. Musashi usava ainda o pseudônimo de Niten, cujo significado é Dois Céus, ou Duplo Céu – Niten Dôraku era seu nome budista.

Os estudiosos de sua obra dizem que sua vida é apenas parcialmente conhecida, apresentando fases obscuras e um longo período de cerca de duas décadas, dos 31 aos 50 anos de idade, inteiramente envolto em mistério.

Sabe-se que desde criança se interessou vivamente pela arte da esgrima, o *kenjutsu*, da qual se tornou um dos mais célebres mestres de toda a história do Japão.

Musashi é o criador da chamada Escola *Nitô* – *Nitô-ryû*, ou *Nitô-Ichi-ryû*, que quer dizer Escola de Duas Espadas –, também conhecida por *Ichi-ryû* e por *Niten-Ichi-ryû*, esta última denominação derivada de seu pseudônimo. A escola caracteriza-se pelo uso simultâneo de duas espadas nos combates, a longa e a curta.

Musashi enfrentou seu primeiro duelo aos 13 anos, conforme narra no *Gorin no Sho*. Desde então, até os 29 ou 30 anos, buscando aperfeiçoar sua arte, levou vida aventurosa de *rônin* – samurai sem suserano que, por não estar ligado a nenhum feudo, perambulava pelo país ao sabor de duelos e trabalhos esporádicos [daí os sentidos de "vagabundo" e "larápio", algumas vezes atribuídos à palavra]. Não perdeu nenhum dos mais de sessenta combates que travou. Por vezes, lutava com uma espada de madeira ou pedaço de pau, sendo muito conhecido o episódio de seu duelo com Sasaki Kojirô, quando improvisou uma espada de madeira com o remo de seu barco.

Em 1600, Miyamoto Musashi participou das forças aliadas do clã Toyotomi na decisiva Batalha de Sekigahara.[1] Não se tem certeza de sua presença no sítio ao castelo de Osaka – batalha que, decidida em 1615, liquidou as forças remanescentes do clã Toyotomi –, embora o fato conste de algumas histórias relacionadas com sua vida. É mais ou menos nessa época que começa a parte misteriosa de sua existência. Daí até 1634, não existe registro do que ele fez ou de por onde andou. Supõe-se que tenha prosseguido em sua peregrinação de samurai errante para aperfeiçoamento do *kenjutsu* por muitas regiões do país.

---

[1] Batalha travada entre as forças comandadas por Tokugawa Ieyasu (1542-1616) de um lado e, de outro, os exércitos partidários de Toyotomi Hideyori (1593-1615), filho de Hideyoshi (1536-1598). O confronto resultou na grande vitória que consolidou a posição de Ieyasu como senhor de todo o Japão. Em 1603, ele é nomeado xogun pelo imperador, fundando o xogunato Tokugawa, que dura até 1867 (Restauração Meiji).

Musashi não se casou, mas adotou um filho, a quem deu o nome de Miyamoto Iori. Ambos aparecem em 1634 no feudo de Kokura, norte de Kyûshû, onde Iori ingressa no serviço do *daimiô* Ogasawara e faz carreira na hierarquia administrativa do território.

Na Revolta de Shimabara,[2] pai e filho adotivo lutam lado a lado, integrando as forças do suserano de Kokura contra os camponeses rebeldes. A valorosa atuação de Musashi nos combates foi testemunhada por um alto funcionário do feudo de Higo, atual *Kumamoto-ken*, que relatou o fato a seu senhor, Hosokawa Tadatoshi. Devido a essa circunstância, Musashi foi convidado por Tadatoshi, em 1640, para a função de mestre de esgrima no castelo de Kumamoto. Musashi serviu Tadatoshi não como vassalo, mas na condição de convidado especial. Os dois se entendem bem, com estima e respeito mútuos.

No ano seguinte, a pedido de Tadatoshi, Musashi escreveu um pequeno tratado – mais um memorando – sobre sua arte, a que deu o título de *Heihô Sanjûgo-jô*, em português, *Os 35 artigos sobre a arte militar*,[3] no qual expõe as noções básicas da arte da espada e o preparo espiritual indispensável ao samurai.

---

2 Rebelião de camponeses da península de Shimabara e da ilha de Amakusa em Kyûshû, aliados aos cristãos perseguidos pelo regime Tokugawa e pelos *rônin*, antigos partidários dos Toyotomi. A rebelião, que durou de 1637 a 1638, teve como causa principal a política tributária opressiva dos senhores feudais da região imposta à classe camponesa.

3 A palavra *heihô*, formada por dois caracteres, pode tambem ser lida *hyôhô*, mudando então o sentido para arte da espada, esgrima. Nesse caso, o título seria "Os 35 artigos sobre a esgrima".

Mas Hosokawa Tadatoshi falece um mês depois de receber o trabalho, aos 54 anos, para profunda consternação de Musashi. Mitsunao, filho e sucessor de Tadatoshi, também dispensa tratamento de especial deferência e simpatia ao velho mestre da esgrima. Este, que já estava doente por ocasião da morte de Tadatoshi, viu agravar-se sua moléstia nos anos seguintes. Nessa época, então, passa a residir na caverna Reigandô e começa a frequentar o mosteiro Ungen, da seita Soto, ligada à corrente zen-budista. O mosteiro fica na frente da caverna Reigandô, no monte Iwato, que pertence à cadeia de montanhas Kinbô, cerca de 12 quilômetros a oeste do castelo de Kumamoto.

Na caverna, desprovida de qualquer conforto material, Musashi entrega-se a rigorosos exercícios espirituais sob a orientação de dois monges. De acordo com seu pensamento de que o verdadeiro samurai deve conhecer e praticar outras artes, além da militar, passa a aperfeiçoar-se em caligrafia – *shôdô* –, pintura, escultura de imagens do Buda, cerimônia do chá e poesia. Na pintura, destacou-se no gênero *suibokuga*, que trabalha com tinta nanquim, produzindo belos quadros com pinceladas arrojadas e incisivas. Simultaneamente, continuou a ministrar lições de esgrima a alguns poucos discípulos.

"Reverenciar os deuses e Buda, mas não contar com sua proteção", esse era um de seus lemas. Confiava em sua capacidade, no trabalho e no esforço próprios. Ao final de uma atribulada existência, Musashi encontrou naquela caverna isolada na montanha ambiente propício a suas reflexões sobre a vida e a arte militar.

Ao ver a moléstia que o afligia agravar-se e sentindo aproximar-se o fim, o mestre entregou o original do *Gorin no Sho* a seu discípulo predileto, Terao Magonojô. Morreu de câncer no dia 19 de maio de 1645, aos 61 anos. Em obediência à sua última vontade, foi enterrado com armadura completa.

A época em que viveu Musashi foi de enorme importância na história do Japão. Com a consolidação do xogunato Tokugawa, que durou de 1603 a 1867, o país ingressou num longo período de paz interna e quase total isolamento internacional.

Os estrangeiros foram expulsos – à exceção dos holandeses, que conseguiram licença do xogun para manter sua feitoria na ilha de Dejima – e, entre eles, os que mais sofreram foram os portugueses, pioneiros no estabelecimento de relações comerciais e na obra de cristianização dos japoneses.

A presença holandesa no Japão corresponde, aliás, a profundas mudanças geopolíticas na Europa, onde se registra o declínio de Portugal e Espanha como potências marítimas. É também nesse período que ocorre a invasão holandesa no Nordeste do Brasil (1630-1654).

É tendo como pano de fundo o fim das guerras entre clãs que Miyamoto Musashi muitas vezes investe contra as escolas de esgrima de seu tempo, acusando-as de ensinar floreios aos discípulos, e não a arte de vencer o inimigo em combates reais.

As façanhas marciais de Musashi são ainda hoje celebradas no teatro *kabuki*, no cinema, em livros de ficção e de ensaios. Aliás, a partir do romance *Miyamoto Musashi*,[4] de autoria do popular escritor Yoshikawa Eiji (1892-1962), que foi um grande *bestseller* no Japão na década de 1930 e no pós-guerra, a popularidade do exímio mestre da esgrima cresceu de modo extraordinário. O entusiasmo em torno do guerreiro levou a um renovado interesse por seu legado espiritual: a filosofia e a arte de vencer sempre, contidas no *Gorin no Sho*.

Foi assim que O *livro dos cinco elementos* se tornou um *bestseller* mundial, elevado à categoria de leitura obrigatória tanto de aguerridos executivos ocidentais quanto de homens e mulheres em busca dos caminhos da iluminação interior e da sabedoria.

Na concepção budista do cosmos, os cinco elementos – *Gorin* – são a terra, a água, o fogo, o vento e o vácuo. Entretanto, segundo a explicação de seu ilustre exegeta, o professor Watanabe Ichiro, embora o livro esteja organizado em cinco capítulos com denominações retiradas daqueles cinco elementos da cosmovisão budista, seu conteúdo apresenta pouca relação com as ideias

---

[4] Nota da Editora: Esse livro foi publicado em português com o título *Musashi*, em três volumes, em 2008, pela editora Estação Liberdade, com tradução de Leiko Gotoda, e também no Brasil foi sucesso de vendas. Várias edições de *Gorin no Sho* com textos vertidos do inglês já circulavam no país, inspirando o lançamento de outros trabalhos dedicados ao espadachim, como O *samurai – A vida de Miyamoto Musashi*, de William Scott Wilson (Estação Liberdade, 2006), e a série em quadrinhos mangá *Vagabond – A história de Musashi*, de Takehiko Inoue (Conrad, 2005-2007).

budistas. Em todos os capítulos, Musashi desenvolve sua peculiar concepção da arte militar, proclamando as vantagens da Escola *Nitô*, por ele criada.

O *Gorin no Sho* resultou da ampliação e da complementação do memorando *Os 35 artigos da arte militar*, já referido. É preciso lembrar que essa obra foi escrita, por assim dizer, no leito de morte do autor, que não teve tempo de revisar e corrigir os originais, razão por que "se observam pontos confusos e repetições frequentes", conforme a abalizada opinião do professor Watanabe.

Os mandamentos – *michi* em japonês, geralmente traduzido pela palavra *caminho* – expostos no *Gorin no Sho* sintetizam toda a sabedoria de vencer na arte da esgrima e na vida de um singular samurai que, depois de atingir a quintessência da arte da espada, decidiu recolher-se a uma caverna para se entregar à meditação. Ao buscar a perfeição nas belas artes e nas letras, realiza o supremo ideal de sua classe: o *Bunbu Ryôdô*, a pena e a espada – artes literárias e militares, ou virtudes civis e marciais.

A edição do *Gorin no Sho* da Editora Iwanami de Tóquio, a partir da qual foi feita a presente tradução para o idioma português, baseia-se na cópia conservada na biblioteca da família Hosokawa, que durante o período Tokugawa governou o feudo de Higo. Essa cópia foi originariamente cedida em 1667 – passados 22 anos da morte de Musashi – por Terao Magonojô ao seu discípulo Yamamoto Gensuke. Esta a razão por que figuram os nomes de Terao e Yamamoto no final de cada capítulo, no qual o autor assina Shinmen Musashi. Na tradução, citamos apenas o nome de Terao no fecho da obra.

O professor Watanabe Ichiro, ao explicar e comentar o *Gorin no Sho*, informa que o manuscrito de Musashi desapareceu. Conclui-se daí que o trabalho entregue por Terao Magonojô a Yamamoto Gensuke era uma cópia do original de Miyamoto Musashi. Nas denominadas "edições populares" existem diferenças de conteúdo e forma.

NOTAS EXPLICATIVAS

Nesta tradução, os nomes próprios nipônicos foram escritos como no original, isto é, primeiro o sobrenome e depois o prenome: Miyamoto Musashi, Hosokawa Tadatoshi, Terao Magonojô etc.

Tachi, a espada predileta do samurai, está aqui traduzida por espada longa. Não obstante certa restrição que se faz ao uso dessa expressão, por parecer redundante o qualificativo, decidimos empregá-la a fim de fazer a necessária distinção entre outros tipos de espada.

Na transliteração de vocábulos japoneses, procuramos seguir o tradicional Sistema Hepburn.

Combate de exércitos. A palavra "exército" foi empregada na expressão para facilitar a compreensão do leitor. No original, aparece como "homens numerosos", "muitas pessoas", "multidão". Refere-se a grupos de combatentes de proporções indefinidas.

AGRADECIMENTOS

Dada a natural dificuldade do trabalho de traduzir uma obra escrita na primeira metade do século XVII por um genial samurai – considerado heterodoxo pelos mestres e lutadores de *kenjutsu* seus contemporâneos –, solicitei e obtive orientação e ajuda valiosíssimas de mestres e amigos na árdua tarefa de verter o *Gorin no Sho* para o idioma português. Registro aqui os meus mais profundos agradecimentos às seguintes pessoas:

- Professor doutor Kensuke Tamai, ex-diretor do Centro de Estudos Japoneses da Universidade de São Paulo. Tamai, depois de lecionar na Universidade de Princeton, em 1989, retornou ao Japão. Enviou-me de Tóquio cópia de vários trechos de enciclopédias e dicionários histórico-biográficos que muito contribuíram para a compreensão de Musashi e de sua obra. E ainda cedeu-me um exemplar de *Miyamoto Musashi to Nipponjin* ("Miyamoto Musashi e os japoneses") de sua biblioteca particular. Trata-se de uma análise crítica do famoso romance de Eiji Yoshikawa, citado na Introdução. De autoria do professor Takeo Kuwabara (Editora Kodansha, 1964), a obra baseia-se em ampla pesquisa realizada entre leitores sobre o conteúdo do trabalho literário. Embora de modo indireto, o livro ajuda a compreender por que o grande e invencível mestre da esgrima e espadachim Miyamoto Musashi alcançou tamanha notoriedade.

Já na fase de redação do texto final, o professor Tamai me enviou outro valiosíssimo livro: *Gorin no Sho*, com tradução completa e notas explicativas do professor Kamata Shigeo sobre o trabalho de passar o original de Musashi para o japonês contemporâneo. Mesmo convalescendo de uma delicada intervenção cirúrgica, o professor Tamai realizou exaustivo trabalho de pesquisa em catálogos de editoras até encontrar esse volume – sem dúvida, ajuda inestimável de um homem extremamente culto e de intensa vivência cosmopolita, sempre disposto a estimular a divulgação da cultura japonesa.

Infelizmente, o professor Tamai faleceu em dezembro de 1990, na cidade de Tóquio. Ainda no mês de setembro do mesmo ano, pude visitar o mestre em sua residência e agradecer-lhe a valiosa orientação. Presto aqui minha homenagem à sua memória.

• Katsunori Wakisaka, estudioso das culturas brasileira e japonesa, diretor do Centro de Estudos Nipo-Brasileiros. Prestou-me colaboração de enorme valor ao cotejar a tradução com o original do *Gorin no Sho*, o que resultou numa versão final mais aprimorada. Um trabalho somente exequível por alguém que, como ele, é conhecedor seguro dos dois idiomas – o japonês e o português.

• Professor Watanabe Ichiro. Tenho para com o exegeta do *Gorin no Sho* uma imensa dívida: sem suas notas explicativas constantes da edição Iwanami Shoten, jamais poderia eu cumprir a incumbência de traduzir para o vernáculo a obra de Musashi. Nascido em 1913, o professor Watanabe formou-se pelo Departamento de História da Universidade de Tóquio. É catedrático da Universidade de Educação de Tóquio e autor de obras sobre a história do Japão moderno. A ele, meus agradecimentos especiais.

• Professor Benedicto Ferri de Barros. Esse amigo e mestre da Academia Paulista de Letras teve a gentileza de proceder à leitura do texto final. Suas observações e sugestões foram de enorme valia para tornar mais claras certas expressões, principalmente aquelas referentes à espada e a outras armas, bem como a seu uso pelos samurais. Ferri de Barros – espírito aberto a todas as portas do conhecimento humano – é profundo conhecedor do *nippon-tô*, espada japonesa, e autor de substanciosos livros sobre o Japão. Além disso, brindou-me com um prefácio, na condição de profundo conhecedor da cultura japonesa.

Devo ainda estímulo, subsídios e sugestões a outros amigos, como Kikuo Furuno, professor aposentado da Universidade de Línguas Estrangeiras de Kyoto; Jorge Midorikawa, de Tóquio, o primeiro jornalista japonês a escrever em português no Brasil, no começo da década de 1930, no *Nippak Shimbun*, que tinha uma página editada na língua de Camões, a quem sucedi em 1936, passando a ser encarregado dessa página; e professor George Guimarães, de São Paulo, um zeloso mestre das artes marciais.

1
TERRA

Treinei e adestrei-me anos a fio nos mandamentos da arte militar da escola chamada *Niten-Ichi*.[1] Pela primeira vez, resolvi escrever um livro, por volta dos primeiros dias do mês de outubro do ano 20 da Era Kan-ei (1643). Subi ao monte Iwato, na terra de Higo, ilha de Kyûshû, e rendi homenagem aos céus, reverenciei a deusa Kannon e me inclinei diante de Buda. Sou o samurai Shinmen Musashi Fujiwara no Genshin, natural da província de Harima, com idade de 60 anos.

Desde a juventude, me interessei pelos mandamentos da arte militar. Enfrentei e venci no primeiro duelo, aos 13 anos, o esgrimista Arima Kihei, da Escola *Shintô*. E, aos 16 anos, derrotei outro grande mestre da arte militar, de nome Akiyama, da província de Tajima.[2] Aos 21 anos, fui para a Metrópole – Kyoto –, onde me bati

---

[1] Neste capítulo, Musashi descreve, em linhas gerais, o que vem a ser a Escola *Niten-Ichi* de arte militar. Todavia, nos outros capítulos, chama sua escola de *Nitô-Ichi*. Popularmente, ela é mais conhecida pelo nome simplificado de *Nitô-ryû* (Escola de Duas Espadas). *Ryû* significa escola, estilo, moda. Essa escola foi fundada por Musashi, introdutor do uso de duas espadas em combates. Lembremos que Niten era o pseudônimo do samurai.

[2] Província de Tajima: parte da atual província de Hyôgo (*Hyôgo-ken*).

em duelo com os mais notáveis mestres de esgrima da nação, vencendo-os todos.[3]

Depois, percorrendo muitas províncias e localidades, enfrentei mestres da arte militar de diferentes escolas, saindo vitorioso em mais de sessenta combates. Isso tudo aconteceu dos 13 aos 28 ou 29 anos de idade.[4] Ao passar dos 30 anos, resolvi fazer uma reflexão sobre o meu passado. Não venci apenas pela extrema perfeição da minha arte militar. Talvez dotado de inclinação nata para a arte militar, eu tenha aliado esse talento à obediência às leis naturais. Ou, quem sabe, as deficiências encontradas em outras escolas tenham servido de ponto de apoio para o aprimoramento de minha arte. O certo é que, depois dessa idade, prossegui nos meus esforços e treinamentos diários em busca da verdade mais profunda. Como era de esperar, por volta dos 50 anos, acabei encontrando a essência dos mandamentos da arte militar.

Desde então, não passo um dia sequer sem ter um mandamento a perquirir. Guiado pela profunda verdade desses mandamentos, procuro aplicá-los em todas as atividades às quais me dedico,[5] dispensando mestres em tudo.

Ao escrever este livro, não recorri aos termos arcaicos do budismo ou do confucionismo nem tampouco

---

[3] Referência aos três combates que travou contra os homens da Escola Yoshioka, considerados, então, os melhores do país.

[4] Consta que o duelo com Sasaki Kojirô, da Escola Gen, aconteceu em 1612, quando Musashi contava 29 anos.

[5] Conforme vimos na Introdução, Musashi dedicou-se com brilhantismo a diversas artes na fase final de sua atribulada existência.

a antigas crônicas de guerra ou a obsoletas estratégias militares. Quero exprimir o pensamento e o verdadeiro espírito da Escola *Ichi*, tendo como espelho a providência divina e Kannon. Assim, começo a escrever às 4 horas e 30 minutos do dia 10 de outubro.

A arte militar constitui a lei da classe dos samurais. Os oficiais comandantes devem praticá-la de modo específico, mas, mesmo o soldado raso precisa conhecer os seus mandamentos igualmente.

No mundo atual, todavia, inexiste samurai conhecedor seguro dos mandamentos da arte militar. Conhecem-se muitos mandamentos ou preceitos: os que conduzem à salvação pelo budismo; ao aprendizado das letras através do confucionismo; ao tratamento e à cura de moléstias, utilizados pelos médicos; ou ainda à assimilação das regras de *waka* (poesia clássica do Japão), pelos poetas; à arte da cerimônia do chá; ao ofício do arqueiro; entre outras artes e habilidades – todas com treinamento de acordo com a índole e o gosto de cada um. São raros, porém, aqueles que procuram conhecer os mandamentos da arte militar.

Inicialmente, o samurai deve seguir o caminho das letras, ao lado das artes marciais – *Bunbu Nidô*.[6] Seus mandamentos consistem em conhecer e saber apreciar os dois caminhos.

Ainda que não alcance grande progresso nessas duas áreas, o samurai poderá, de acordo com sua posição hierárquica, fazer o possível para seguir as leis do guerreiro.

---

6 O mesmo que *Bunbu Ryôdô*, ou seja, o caminho das letras e das armas, o ideal supremo do verdadeiro samurai. Pode ser traduzido ainda como "a pena e a espada", "atividades civis e militares".

Ao fazer uma análise do modo de pensar dos samurais, percebo que, em geral, eles se apegam aos mandamentos da aceitação da morte com calma resolução.

Não só o samurai, como também o sacerdote budista, as mulheres, ou mesmo o camponês e a gente de categoria inferior a ele, todos devem conhecer o sentido de obrigação,[7] refletir sobre a vergonha e morrer de maneira honrosa – no que não há diferença entre eles e os samurais. Ao praticar os mandamentos da arte militar, o samurai deve ter por princípio superar em tudo a todos os demais, vencendo em duelo individual ou em combate com vários adversários. Assim, poderá alcançar fama e progredir na vida, em prol de seu suserano e de si próprio. Graças às virtudes da arte militar, é possível obter tudo. Entretanto, existem aqueles que, embora tendo aprendido os mandamentos da arte militar, não sabem pô-los em prática no momento do combate real. Por isso, é preciso ensinar de tal maneira que a arte da luta possa ser aplicada em todos os casos, em qualquer circunstância.

Eis os verdadeiros mandamentos da arte militar.

A ARTE MILITAR

Tanto na China como no Japão, aqueles que praticam os mandamentos da arte militar são chamados tradicionalmente de "mestres da arte militar". O samurai

---

[7] Nas relações sociais dos japoneses, existem várias obrigações, chamadas *giri* (leia-se "guiri"). Aqui, trata-se do *giri* (obrigação ou dever) do vassalo para com seu senhor, seu patrão (suserano).

jamais deve deixar de estudá-los. Ultimamente, há pessoas que vivem se proclamando mestres da arte militar, mas, na verdade, não passam de meros espadachins. Sacerdotes xintoístas de Kashima e Katori, da província de Hitachi,[8] como se inspirados por suas divindades, fundaram escolas de artes marciais e passaram a percorrer províncias para ministrar aulas aos homens.

Desde a antiguidade, entre as chamadas Dez Disciplinas e Sete Artes, incluem-se os "métodos de obter vantagens" na arte militar. Tais vantagens de uma arte superficial de esgrima não conduzem à verdadeira arte da esgrima. Muito menos à arte militar.

Ao observar com atenção a sociedade atual, encontramos aqueles que comercializam as artes mais diversas. Para tanto, apresentam-se como se eles próprios fossem o objeto da venda, munindo-se de variados equipamentos. Tal espírito pode ser comparado à flor e ao fruto: dá-se mais valor à flor do que ao fruto. Isso acontece particularmente na arte militar, cujos mandamentos – enfeitados, floreados – são exibidos sob a aparência de técnica superior. Com isso, reduz-se o vasto conhecimento da arte militar a uma ou duas academias de artes marciais, *dôjô*, com o único objetivo de obter vantagens. Isso nos faz lembrar o que alguém disse certa vez: "Artes

---

8 Hitachi constituía grande parte da atual província de Ibaraki, enquanto Katori é, a rigor, da província de Shimousa (parte das atuais províncias de Chiba e Ibaraki, próximas de Tóquio). Musashi se refere ao famoso espadachim Tsukamoto Bokuden e a outros que difundiram as escolas *Tenshin Shoden Shintô* (Katori) e *Shintô* (Kashima) em todo o país.

marciais mal aprendidas são causadoras de grandes malefícios". Eis uma grande verdade.

Para a sobrevivência humana, existem mandamentos para as quatro classes.[9]

• **Mandamentos do lavrador.** Munindo-se dos vários instrumentos necessários às suas atividades, o lavrador observa com atenção os movimentos da natureza – como as mudanças de estações – para tirar melhor proveito da terra. Essa é a sua vida, sempre ocupada. E esses são os mandamentos do lavrador.

• **Mandamentos do mercador.** O fabricante de saquê adquire os utensílios apropriados e retira de seu trabalho maior ou menor proveito. Vive do fruto de sua produção e dos lucros que obtém. São esses os mandamentos do mercador.

• **Mandamentos do samurai.** Ao dispor de toda sorte de armas e equipamentos, deve o samurai conhecer todas as suas características. Eis os mandamentos da arte samuraica. No entanto, aqueles que ignoram as qualidades dos seus instrumentos militares e desconhecem suas vantagens não estarão negligenciando os treinos diários[10] e caindo no desleixo?

---

9 Musashi refere-se às classes sociais do período Tokugawa; pela ordem hierárquica: samurais, lavradores, artesãos, mercadores.

10 Uma advertência aos samurais do período de paz do xogunato Tokugawa (1603-1867), que estariam negligenciando a vida de tensão permanente do período das guerras feudais (1467-1567), quando os guerreiros

- **Mandamentos do artesão** (tendo como protótipo o carpinteiro). Os mandamentos do carpinteiro[11] consistem em preparar com habilidade os mais variados utensílios e instrumentos, bem como aprender a utilizá-los com perícia, verificar com o esquadro a exatidão das medidas. Essa é a sua vida, que ele dedica ao esforço de sempre exercer com perfeição o seu ofício.

Temos aí os quatro diferentes caminhos de vida: do samurai, do lavrador, do artesão e do mercador.

Vamos agora mostrar os mandamentos da arte militar, fazendo um paralelo com os do carpinteiro. Para isso, tomaremos como exemplo uma casa e tudo o que a ela se associa. Tanto podem ser casas da nobreza da corte imperial, de samurais, das Quatro Famílias[12] quanto ruínas de casas, bem como seus aspectos – assim, a durabilidade, os tipos arquitetônicos, seus estilos, suas tradições. Tudo considerado, decidi comparar a arte militar aos mandamentos do carpinteiro. O termo "carpinteiro", *daiku*, significa grande planejador – no

---

viviam em constante prontidão.

11 No Japão, carpinteiro tem sentido amplo. Em linguagem moderna, aproxima-se do arquiteto e do construtor. Os edifícios japoneses tradicionais, com exceção das paredes e dos muros de castelos e de fortalezas, eram feitos de madeira. Cabia ao carpinteiro projetar e construir.

12 Existem pelo menos duas ou três interpretações a respeito das Quatro Famílias: seriam os quatro ramos do clã Fujiwara, que dominou a política da corte do Período Heian (do século VIII ao XII); ou as grandes famílias Minamoto, Taira, Fujiwara e Tachibana, que influíram poderosamente no curso da história do Japão; ou, ainda, as quatro escolas de *cha-no-yu* [cerimônia do chá] ou de *ikebana* [iquebana: arranjos florais].

kanji –, razão por que comparo os mandamentos da arte militar aos da profissão de carpinteiro. Se alguém desejar aprender a arte militar, deve meditar sobre o que está escrito neste livro. O discípulo precisa se dedicar a incessantes treinamentos e prestar obediência ao mestre, sendo este a agulha e aquele a linha.

COMPARAÇÃO ENTRE OS MANDAMENTOS DA ARTE MILITAR E OS DO CARPINTEIRO

Enquanto o general comandante deve conhecer as leis que governam o país, verificar as leis das províncias, conhecer as normas dos clãs, o mestre-carpinteiro deve saber as medidas exatas dos templos e pavilhões, os projetos de palácios e torres, empregar homens para construir casas.

Existe, portanto, um ponto de confluência entre o chefe dos carpinteiros e o comandante dos samurais.

Na construção de uma casa, é necessário distribuir o madeirame de modo adequado, escolhendo a madeira sem nós, retilínea, de melhor aspecto, para servir de pilares da fachada da casa. Aquela que apresenta nós, mas que é reta e resistente, pode ser aproveitada para a parte dos fundos. Para as soleiras, dintéis, portas e *shôji* – porta de papel, gradeada e corrediça –, pode-se utilizar a madeira mais frágil, mas que tenha bom aspecto e seja sem nós. E até mesmo as peças com nós e que apresentem curvaturas – ainda que sejam usadas –, se forem fortes, podem ser colocadas em pontos de sustentação da casa. Dessa forma, a construção durará muito tempo, sendo difícil destruí-la.

Por outro lado, madeiras com muitos nós, tortas e fracas devem ser usadas apenas nos pisos e, posteriormente, utilizadas como lenha.

Ao empregar carpinteiros, o mestre precisa conhecer a capacidade de cada um, que pode ser excelente, média ou inferior, utilizando o trabalho deles em diferentes atividades, como na feitura de *tokonoma*,[13] de porta corrediça, soleira, dintel, na confecção do teto e de outras partes, aproveitando a habilidade individual. Os menos habilidosos podem ser empregados na colocação de travessas; os ainda piores, em aplainar cunhas.

Prestar atenção às mínimas coisas, na proficiência de cada um e até nos aspectos mais fugazes do trabalho, saber como empregar, conhecer o grau de vontade de fazer, estimular, reconhecer os limites de capacidade de cada homem – tudo isso deve ter em mente o mestre-carpinteiro. Em suma, sabendo utilizar adequadamente os homens, tudo correrá bem, alcançando-se os melhores resultados.

As vantagens dos mandamentos da arte do carpinteiro são análogas às vantagens dos mandamentos da arte militar.

OS MANDAMENTOS DA ARTE MILITAR

Os soldados são como os carpinteiros. Estes afiam a ferramenta, preparam os instrumentos de trabalho,

---

13 Um canto (vão de parede) do compartimento principal da casa japonesa, onde se colocam objetos de arte, pinturas caquemono, espada, iquebana etc.

transportam-nos em caixa apropriada, recebem as ordens do mestre-carpinteiro. Aplainam colunas e vigas com a enxó, alisam soalhos e prateleiras com a plaina, gravam e esculpem, conferem as medidas com rigor, dando acabamento fino até mesmo ao longo corredor externo da biblioteca. Eis as normas dos carpinteiros. Se têm pleno domínio das técnicas e primam pela excelência em seu ofício, executando com exatidão as medidas, tornar-se-ão posteriormente mestres-carpinteiros.

No aperfeiçoamento da artesania de carpinteiro, é importante ter ferramentas que cortem bem, afiando-as nos intervalos do trabalho. Com instrumentos adequados, pode-se fazer com perícia prateleiras *mizushi* – onde guardar utensílios domésticos, pinturas ou caligrafias artísticas –, estantes, mesas, lanternas de papel, *manaita* – tábua de cozinha – e até tampas de panelas, alcançando na feitura desses objetos um resultado impecável.

Todo esse assunto aqui tratado deve ser examinado com a máxima atenção.

Com as devidas adaptações nos pormenores, o soldado deve cumprir sua missão com o mesmo rigor do carpinteiro.

Procure refletir sobre o que há de semelhante entre os mandamentos de um e de outro.

Na formação do carpinteiro, é essencial a diligência para não errar na colocação de juntas, assim como ter cuidado no trato com a madeira, que, ao ser alisada com a plaina, não deve ser escoriada nem entortada.

Se o leitor aspira a aprender esses mandamentos, é preciso que preste atenção a todo o conteúdo escrito neste livro e que medite.

OS CINCO CAPÍTULOS DESTE LIVRO SOBRE A ARTE MILITAR

Ao escrever esta obra, procurei dividi-la em cinco capítulos, correspondentes a Terra, Água, Fogo, Vento e Vácuo,[14] a fim de expor as peculiaridades de cada um, bem como suas vantagens.

No Capítulo da Terra, expus em linhas gerais os mandamentos da arte militar e a razão de ser da minha Escola *Ichi*. É muito difícil alcançar os verdadeiros mandamentos apenas através da arte da esgrima, o *kenjutsu*. É preciso conhecer desde o conjunto até os detalhes mais sutis, partindo do superficial para o profundo, procurando atingir o imo das coisas. Como se estivesse consolidando as bases estruturais de uma estrada reta, dei ao primeiro capítulo o nome de Terra – o começo da obra.

No segundo capítulo, Água, tomo como base esse elemento que evoca no espírito humano a limpidez de sua imagem. Em seu estado líquido, a água toma de imediato a forma do seu recipiente, seja ele quadrado ou redondo, e torna-se uma gota ou um oceano. A sua tonalidade é o azul mais puro. Aproveito a limpidez da água para escrever esse capítulo sobre a Escola *Ichi*.

---

14 O *kanji* (ideograma) aplicado à palavra "vácuo" tem ainda o significado de céu, espaço, firmamento, nada, não existência.

Uma vez dominados os princípios da arte de esgrimir e vencer, é possível derrotar qualquer adversário – não importa quem ele seja. Os mesmos princípios que permitem vencer um só homem podem ser aplicados à luta contra milhares e dezenas de milhares de inimigos. A tática militar de um comandante – que consiste em aplicar as regras das pequenas unidades às grandes unidades – é como esculpir a estátua em grandes dimensões de Buda a partir de uma miniatura. É difícil explicar em detalhes como se faz tudo isso. O princípio da arte militar tem como meta conhecer a unidade de uma coisa e, a partir de então, entender dez mil. Assim, em linhas gerais, procuro fazer com que o leitor possa entender a essência da Escola *Ichi* no capítulo intitulado Água.

No terceiro capítulo, denominado Fogo, tenho como objetivo tratar dos combates. O fogo pode ser grande ou pequeno, mas dispõe sempre de extraordinária força de transformação. O mesmo sucede com as batalhas, cujos mandamentos são iguais tanto no combate de um contra um como nos confrontos de exércitos de dez mil homens de cada lado. Qualquer situação precisa ser considerada tanto sob a óptica do conjunto (o grande) quanto dos pormenores (o pequeno). Apreende-se o conjunto facilmente, enquanto os detalhes só podem ser percebidos por um olho muito atento. Dependendo das circunstâncias, é impossível mudar repentinamente uma estratégia que envolve um contingente numeroso, ao passo que uma só pessoa pode tomar de súbito a decisão de mudar alguma coisa, porquanto depende de um só espírito. Nesse caso, porém, é difícil perceber os pormenores. Deve-se, pois, fazer um exame crítico da situação.

No capítulo do Fogo está exposto, de maneira implícita, que no duelo individual a vitória ou a derrota acontece com muita violência e rapidez, razão por que se exige treinamento constante, dia após dia, a fim de que haja o devido preparo para enfrentar de pronto qualquer emergência. Eis o ponto vital da arte militar e o motivo pelo qual escrevo sobre combates, vitória e derrota no capítulo do Fogo.

No capítulo quarto, Vento, não abordo a minha Escola *Ichi*, mas trato de outras escolas existentes. Ao mencionar o vento, faço referência tanto ao estilo antigo quanto ao estilo atual, assim como ao das diferentes famílias etc. Descrevo com clareza a arte militar e os feitos das demais escolas. Daí a razão de eu ter escolhido o título Vento.[15]

Sem conhecer bem os outros, é difícil conhecer a nós mesmos. No percurso de nossas vidas, encontramos sempre espíritos heréticos, que geram confusão. Mesmo procurando cumprir com diligência os mandamentos, se o espírito se afastar da essência da verdade, não estará seguindo corretamente os mandamentos, embora o corpo acredite estar. Se não houver obediência estrita aos verdadeiros mandamentos, mesmo um pequeno desvio espiritual resultará, posteriormente, em grande distorção.

---

15 No original, *fû*. Além de vento (*kaze*), a palavra *fû* significa estilo, aparência, costume, maneira, tipo.

É preciso refletir com muita clareza.

Existem escolas que consideram a arte da esgrima a única arte militar. Trata-se, porém, de um equívoco. Segundo os princípios e as técnicas da nossa arte militar, a esgrima ocupa lugar de destaque, mas não é a única.

Assim sendo, no capítulo do Vento, exponho as características de outras escolas a fim de dá-las a conhecer.

Já que falo do Vácuo no capítulo quinto, cabe indagar o que é o começo e o que é o fim. Desde que se adquire determinado conhecimento ou teoria, é preciso desprender-se dele: conquistar a razão e dele afastar-se. Nos mandamentos da arte militar, encontro minha liberdade e consigo um poder superior ao dos outros. Chegado o momento propício, conheço o ritmo. Essa é a única maneira de alcançar o estágio espiritual no qual é possível esquecer que se tem uma espada na mão, e a espada não sente a mão. Eis no que consistem os mandamentos do Vácuo. No capítulo do Vácuo, faço referência à minha experiência pessoal e a como ocorreu a minha integração nos mandamentos da verdade.

O NOME DA ESCOLA *NITÔ*

Na classe dos samurais, tanto os comandantes quanto os soldados andam com duas espadas à cintura, razão do nome Escola *Nitô*, ou das duas espadas. Outrora, estas eram chamadas de *tachi*, espada longa, e de *katana*, espada. Hoje em dia, são conhecidas como *katana* e *wakizashi* (espada curta, que, na tradução literal, significa "portada à ilharga"). Não há necessidade de dizer que todo samurai carrega duas espadas. Em nosso país, faz parte dos mandamentos de samurai trazê-las à cintura – ainda que não se saiba mais por quê.

Dei à minha escola o nome de *Nitô-Ichi-ryû* ("Escola Ichi de Duas Espadas"), justamente para mostrar as vantagens do uso de duas espadas. Além da lança e da *naginata*, alabarda, figuram outras armas chamadas marginais ou complementares à espada.[16]

Segundo os preceitos da Escola *Ichi*, o principiante precisa treinar com a espada longa e a espada curta nas duas mãos – já que o correto manejo das duas espadas constitui sua principal característica.

No caso de sacrificar a vida em luta, é desejável usar todas as armas à nossa disposição. É contrário aos nossos princípios morrer sem utilizar as armas da cintura. Entretanto, tendo as espadas nas duas mãos, é quase impossível movimentá-las para a direita e para a esquerda com desenvoltura. Por isso, é necessário treinar o uso da espada longa com uma só mão.

---

16 A arte da esgrima de samurai, ou *kenjutsu*, é a principal das artes marciais, figurando em seguida as artes do chuço, da *naginata*, do arco e flecha, da equitação, do *jujutsu*, do bastão, do *kusarigama* (corrente e setoura, ou foice), como artes marciais secundárias ou complementares, ensinadas em todas as escolas de artes marciais. Segundo o professor Benedicto Ferri de Barros, *naginata* é algo impropriamente chamado de "alabarda", pois difere desta na forma, na finalidade e no estilo de uso. Ela é uma espada longa, com cabo bastante comprido, usada como espada e também como bastão (ao passo que a alabarda, de cabo longo de madeira, tem na ponta de ferro três dispositivos: lança pontiaguda, machado e gancho).

Excluindo a lança, a *naginata* e outras armas maiores, tanto a *katana* quanto a *wakizashi* são armas usadas com uma das mãos apenas. É difícil empunhar as duas espadas quando se está a cavalo ou em corridas aceleradas, em regiões pantanosas, em arrozais lamacentos, em trechos pedregosos, em subidas íngremes, ou, ainda, no meio da multidão. Se o guerreiro porta na mão esquerda arco, lança ou outra arma, deve empunhar a espada longa na mão direita. Nesses casos, segurar a espada longa com ambas as mãos não está de acordo com os nossos mandamentos.[17] Na eventualidade de ser impossível abater o adversário com uma espada, então, devem ser usadas as duas.

Essa forma de aprendizado não deve ser encarada como perda de tempo. Primeiramente, é necessário aprender a brandir a espada longa com uma das mãos. Na nossa escola, mesmo tendo uma espada em cada mão, primeiro deve-se aprender a manejar bem com uma só arma. Na fase inicial de treinamento, qualquer aprendiz acha pesada a espada longa e acha difícil brandi-la.

Mas lembro ao iniciante que tudo é difícil no começo: seja esticar a corda de um arco, seja brandir uma *naginata*. Contudo, depois de estarmos familiarizados, o arco se torna poderoso, e a própria espada longa, após o devido treinamento, se torna de fácil manejo, desde

---

17 Crítica ao método de outras escolas, que ensinam a enfrentar o inimigo com as duas mãos no punho da espada desde o começo da luta. Tendo em vista sempre a perfeição como finalidade de alcançar a vitória, Musashi idealizou o estilo *Nitô* pela vantagem de usar as duas armas em vez de uma *só*. No caso, as duas mãos são treinadas para funcionar com a mesma eficiência.

que se leve em conta a força dos mandamentos. Nos mandamentos da espada longa, o manejo rápido não é essencial, como se saberá no Capítulo da Água. A verdadeira orientação dos mandamentos da espada longa consiste em usá-la quando se dispõe de espaço amplo, deixando a espada curta para os espaços exíguos.

Segundo os mandamentos da Escola *Nitô-Ichi*, deve-se conquistar a vitória tanto com a espada longa como com a curta. O importante é vencer, seja qual for o comprimento da arma. É mais vantajoso usar duas espadas do que uma no caso de enfrentar sozinho muitos adversários ou quando o inimigo está confinado em pequeno espaço, como no interior de uma casa. Não exporei todos os pormenores aqui. Ao leitor cabe entender, a partir de um caso, dez mil outros. Quando tiver dominado os mandamentos da arte militar, nada escapará à sua percepção.

É preciso examinar e apreciar tudo isso.

CONHECER AS VANTAGENS DA EXPRESSÃO "ARTE MILITAR"

Segundo os mandamentos, aquele que consegue manipular com destreza uma espada longa é tradicionalmente considerado mestre em arte militar. Os peritos das diferentes modalidades das artes marciais também recebem denominações próprias: aquele que atira bem com arco é chamado de arqueiro; o espingardeiro é o que sabe manejar bem a espingarda; o que domina o segredos da lança é lanceiro; e o que luta com alabarda, *naginata*, chama-se alabardeiro. No entanto, os conhecedores dos mandamentos da espada longa ou da curta não são chamados de espadeiros de espada longa ou curta. Por outro lado, o arco, a espingarda, a lança, a *naginata* são todas armas de samurai e constam dos mandamentos da arte militar. Mas só a arte de lutar com a espada longa recebe a denominação especial de arte militar – *heihô* – e com justas razões.[18] É que com as virtudes morais da espada longa[19] é possível governar o país, educar-se a si próprio. Um único homem pode vencer dez, da mesma maneira que cem podem triunfar sobre mil e mil derrotar dez mil.

Na arte militar da Escola *Ichi*, tanto uma quanto dez mil pessoas têm a mesma importância: numa única pessoa estão contidas todas as leis do samurai.

Nos mandamentos do samurai, não estão incluídos os confucionistas, os budistas, os atores de *kabuki*, os professores de etiqueta, os atores de teatro *noh*. No entanto, mesmo trilhando um caminho diferente, se se aprofundarem os conhecimentos, é possível chegar a compreendê-los. O importante é que o homem busque o aperfeiçoamento na sua área de atividade.

---

18 Trata-se aqui de conhecer as vantagens dos dois *kanji* que formam a expressão "arte militar" (*heihô*). *Heihô* pode ser ainda traduzido por artes marciais, arte da guerra, estratégia, tática, ciência militar, arte da esgrima (*hyôhô*).

19 Aqui, a expressão "virtudes da espada longa" (*tachi no toku*) tem sentido relacionado à crença antiga nos poderes miraculosos da espada (*reigen shisô*). Na era feudal do Japão, considerava-se a espada "a alma do samurai".

CONHECER AS VANTAGENS
DE CADA ARMA NA ARTE MILITAR

Existem ocasião e tempo apropriados para aplicar as vantagens – ou seja, a eficácia – das armas militares.

A espada curta, *wakizashi*, serve para lutar em espaço restrito, com o inimigo bem próximo. Já a espada longa, de modo geral, pode ser usada em qualquer circunstância. A *naginata* parece inferior ao chuço em campo de batalha. Com o chuço se toma iniciativa de ataque, ao passo que a *naginata* é mais empregada na defensiva. Em condições de treinamento idênticas, o chuço leva certa vantagem.

Dependendo das circunstâncias, contudo, tanto o chuço quanto a *naginata* são pouco eficazes contra inimigos na defensiva em recintos estreitos, como o interior de uma casa. Devem ser usados exclusivamente em campo de batalha, onde se mostram muito valiosos.

No entanto, caso a pessoa se limite a aprender as vantagens do uso só dentro de casa (esquecendo-se da sua verdadeira função de arma de campo de batalha), perdendo-se em detalhes, deixando de lado os verdadeiros mandamentos, ambas as armas se tornarão inúteis.

O arco é uma arma estratégica no avanço ou no recuo dos exércitos. Apresenta muitas vantagens, por exemplo, no caso de batalha campal, porquanto torna possível a tomada de iniciativa na ligação e na movimentação de grupos de chuceiros e outras unidades de combate. Porém, constitui arma imprópria em cerco a praças fortes ou quando o inimigo se encontra a distância superior a 40 metros.

Atualmente, contudo, não só os arqueiros, mas também os homens das demais armas estão mais voltados para a aparência, negligenciando as qualidades efetivas e indispensáveis ao combate real. Assim, o arco pouca eficácia oferece.[20]

Se a pessoa está no interior de uma fortaleza, a arma mais adequada é a espingarda. Em batalha campal, ela é muito vantajosa antes do início da luta corpo a corpo. Depois, a arma de fogo perde sua eficácia. Uma das vantagens do uso do arco é o fato de a flecha ser visível em sua trajetória. A bala da espingarda, por ser invisível, torna a arma menos eficaz. É preciso refletir muito sobre este assunto.

Quanto ao cavalo, é essencial que seja robusto e resistente, sem defeitos. Em suma, tal como as armas de guerra, também o cavalo deve estar em condições de combate para marchar de acordo com sua força. A espada longa e a *wakizashi* devem estar bem afiadas, o chuço e a *naginata* constantemente preparados para trespassar o inimigo, o arco e a espingarda precisam ser resistentes e bem conservados.

A preferência que se tem por uma arma ou utensílio não deve ser discriminatória em relação às outras. A valorização excessiva de um objeto resulta em ineficácia.

---

20 O professor Watanabe sugere esta interpretação, já que no original está "muita vantagem apresentam", o que seria contraditório dentro do contexto.

Nunca se deve imitar os outros, e sim possuir armas adequadas à própria capacidade. Nem o comandante nem os soldados devem apreciar ou detestar em demasia certas coisas.

É conveniente refletir muito bem sobre o que foi dito em busca do aperfeiçoamento.

SOBRE O RITMO NA ARTE MILITAR

Em tudo o que há no mundo existe um ritmo particular, mas, na arte militar, dificilmente se consegue o ritmo apropriado sem intenso treinamento.

Nas diferentes formas de arte, vamos encontrar manifestação do ritmo – por exemplo, na dança do teatro *noh*, nos instrumentos de corda e sopro dos menestréis, todos perfeitos na sua sincronização.

Também nos mandamentos da arte militar é preciso encontrar ritmo e sincronização ao atirar com o arco ou com a espingarda e até ao montar um cavalo. Tanto nas artes de modo geral como nas outras infinidades de manifestações – sejam elas de que natureza forem – não se deve desrespeitar o ritmo. Até no vácuo invisível existe ritmo.

No modo de vida do samurai há ritmo, tanto na maneira como serve a seu senhor como nos momentos de ascensão ou de queda na sua carreira; e ritmados ou não ritmados são a combinação dos entalhes feitos no arco e na flecha com a corda.

Nos mandamentos do comerciante, do mesmo modo, o ritmo é fator determinante tanto para prosperar muito quanto para empobrecer. Em tudo, deve-se distinguir bem o ritmo de ascensão e de queda.

Na arte militar, existem diversos ritmos que merecem atenção. Em primeiro lugar, é de fundamental importância conhecer o ritmo concordante e discernir o ritmo discordante – destinado este último a desregular o ritmo respiratório do inimigo.

Importante distinguir, entre ritmos, os grandes e os pequenos ou os rápidos e os lentos, os ritmos corretos, o ritmo do intervalo e o ritmo contrário, que serve para quebrar o ritmo do adversário. Conhecê-los é essencial na arte militar. Sem esse conhecimento, a arte militar não poderá ser corretamente absorvida.

Dentro dos nossos mandamentos, vencemos em combate sobretudo por conhecer bem o ritmo do inimigo, contrapondo-lhe então um ritmo que ele jamais poderia esperar, criando um ritmo de vácuo nascido da sabedoria.[21]

Em todos os capítulos deste livro, registro principalmente a questão do ritmo. É preciso apreciar e aprender bem o que está escrito a respeito do ritmo, exercitando-se o suficiente para apreender tudo em profundidade.

Desde que se treine e pratique dia e noite as técnicas da arte militar da Escola *Ichi*, cujos fundamentos aqui exponho, as ideias naturalmente se ampliarão e, assim, os pressupostos básicos de minha escola se propagarão e

---

21 Sabedoria (*chie*) significa aqui a capacidade de discernir a razão das coisas, o certo e o errado.

ela poderá ser aplicada tanto nos combates de exércitos quanto nas lutas individuais.

• • • •

Pela primeira vez isso está registrado aqui, nos cinco capítulos intitulados Terra, Água, Fogo, Vento e Vácuo.

Aqueles que desejarem seguir a arte militar da minha escola devem observar sempre os seguintes mandamentos:

1. Evitar todo e qualquer pensamento perverso;
2 Treinar dentro dos preceitos da Escola *Nitô-Ichi*;
3. Conhecer muitas artes – não só a arte militar;
4. Compreender os mandamentos das diversas profissões;
5. Discernir as vantagens e as desvantagens que existem em todas as coisas;
6. Desenvolver a capacidade de discernir a verdade em todas as coisas;
7. Conhecer pela percepção instintiva coisas que não podem ser vistas;
8. Prestar atenção aos menores detalhes;
9. Nada fazer de inútil.

É importante ter em mente estes princípios gerais e treinar seguindo os mandamentos da arte militar. Mas esses mesmos mandamentos exigem que se tenha uma ampla visão das coisas. Sem isso, é difícil tornar-se perito em arte militar. Aquele que tiver pleno domínio sobre este método não será derrotado nem mesmo por vinte ou trinta inimigos.

É necessário dedicar-se com afinco e constância e com a firme disposição de assimilar corretamente as técnicas da arte militar. Só assim será possível vencer seus adversários com as mãos e, com os olhos, enxergar melhor que os outros. Se, por meio de intenso treinamento, puder dispor do seu corpo à sua inteira vontade, então, poderá vencer sozinho vinte ou trinta adversários, com a força do seu próprio corpo. E, se continuar os seus treinamentos com eficiência, evoluirá a ponto de vencê-los com a força do seu espírito. Alcançado esse estágio, isto é, o de vencer com as mãos, os olhos, o corpo e o espírito – em outras palavras, física e espiritualmente – como poderá ser derrotado?

Mais ainda: com a arte militar aplicada ao combate de exércitos, triunfará por ter excelentes homens sob seu comando e por empregar numerosos contingentes sob suas ordens. Vencerá no governo de uma província com os mandamentos de conduta pessoal correta, na sustentação do povo, na execução das leis da vida, por saber superar os outros em quaisquer circunstâncias com a aplicação correta dos mandamentos. Finalmente, ajudará a si próprio e à sua honra.

São os mandamentos da arte militar.

2
ÁGUA

O espírito dos mandamentos da Escola *Niten-Ichi* está baseado na água; neste Capítulo da Água, explico os métodos para obter vitórias, expondo a maneira de manejar a espada longa adotada por nossa escola. Esses mandamentos são de explanação difícil em seus pormenores. Embora as palavras sejam insuficientes, o essencial será intuitivamente entendido. Tudo o que está escrito neste livro deve ser meditado palavra por palavra, letra por letra. Se o leitor não prestar a devida atenção, poderá, muitas vezes, compreender os mandamentos de maneira errada.

Não obstante as vantagens da arte militar de nossa escola estarem aqui expostas como se fossem relativas ao combate individual, é importante ampliar de tal forma a visão que seja possível aplicar essas mesmas vantagens em batalhas de dez mil homens contra igual número de adversários. Porém, se houver erro ou equívoco de julgamento sobre os mandamentos aqui expostos, por menor que seja, eles serão desvirtuados e levarão ao desastre.

A simples leitura deste texto, entretanto, não será suficiente para conduzir à quintessência da arte militar.

Ao considerar que foi escrito para o seu bem, é necessário que vá além da simples leitura ou memorização, procurando integrar tudo o que está dito ao seu próprio corpo, de tal modo que, ao final, descobrirá no que foi assimilado vantagens que parecerão criadas pelo seu próprio espírito.

É preciso excogitar a fim de entender bem.

ATITUDE ESPIRITUAL NA ARTE MILITAR

Segundo os mandamentos da arte militar, o estado espiritual de um combatente não deve ser diferente daquele da vida normal. Tanto nas situações mais comuns da vida cotidiana como nos momentos de praticar a arte militar, o seu estado de espírito não deve ser alterado. Mantenha o espírito aberto, reto, sem tensão excessiva nem relaxamento, em perfeito equilíbrio. Aja com tranquilidade, tendo o cuidado de evitar a paralisação, ainda que por um único instante. O espírito deve se manter dinâmico e livre.

Refletir bem a esse respeito.

Mesmo quando o corpo está em repouso, o espírito não deve relaxar, e, no momento em que o corpo estiver agitado, o espírito deve manter-se atento, não se deixando levar pelo corpo. O corpo não segue o espírito, e o espírito não acompanha o corpo. Preste atenção ao espírito, mas não ao corpo. Não deixe nada fora do alcance do espírito, mas mantenha-o sereno, sem excesso de ânimo. Mesmo que na aparência o espírito se apresente fraco, no fundo ele deve ser forte. Mantenha seu espírito sempre inescrutável para os outros.

Pessoas de corpo pequeno devem saber tudo sobre o que há de grande no espírito e pessoas de corpo grande devem conhecer bem as pequenas coisas do espírito. Tanto aquele de corpo grande como o de corpo pequeno devem ter o espírito reto, mantê-lo imparcial em relação a si próprio. É necessário conservar o espírito imaculado e aberto; e a sabedoria, dentro de amplos horizontes. E é essencial polir tanto a sabedoria como o espírito. Aguçar a sabedoria. Conhecer a justiça e as injustiças do mundo. Penetrar em todos os campos das artes, percorrer seus caminhos. Evitar sempre ser enganado por outrem. Só então se atingirá a sapiência da arte militar. Na sabedoria da arte militar, aprende-se a discernir coisas distintas. Mesmo nos momentos tumultuados de um combate, é preciso buscar os preceitos da arte militar, mantendo o espírito inabalável.

Deve-se refletir bem sobre isso.

POSTURA DO CORPO NA ARTE MILITAR

Manter correta a postura do corpo é de suma importância: trazer a cabeça erguida, sem se inclinar para a frente, para trás ou para o lado, e não se encolher. Os olhos devem estar firmes, a fronte sem rugas, apenas as sobrancelhas levemente franzidas, mantendo firmes os globos oculares e fechando um pouco os olhos para não pestanejar – a feição descontraída, o nariz reto, o queixo ligeiramente avançado. Conservar reta a nuca, deixando a força distribuir-se por igual dos ombros ao resto do corpo. Com os ombros desembaraçados, a coluna vertebral reta, sem avançar o traseiro, não tensionar a parte do corpo que vai dos joelhos até a ponta dos artelhos nem forçar a barriga para a frente, a fim de evitar que os quadris se curvem. Colocar a bainha da espada curta, a *wakizashi*, entre a faixa e o ventre, evitando que a faixa se afrouxe, como recomenda o ensinamento de "apertar a cunha".

Em resumo, o essencial é fazer sempre da postura normal a postura de combate e vice-versa. Isso é o que importa.

Examinar bem o assunto.

O OLHAR NA ARTE MILITAR

O olhar deve abranger o mais amplo espaço possível. Existem dois tipos de olhar: o de apenas ver e o de perceber. O olhar da percepção é poderoso, enquanto o de apenas ver é fraco. Ser capaz de enxergar como se estivesse perto o que está longe e como se estivesse longe o que está perto, eis algo essencial na arte militar.

Importante na arte militar é conhecer a espada longa do adversário, sem fixá-la. É preciso estudar bem esta questão. O olhar deve ser o mesmo, tanto num combate individual como numa batalha de exércitos. Ver os dois lados, sem mexer o globo ocular, é fator de grande importância.

Mas todo esse aprendizado demanda disciplina e paciência, não pode ser aprendido de repente, em momentos de urgência. Depois de ter compreendido tudo o que foi exposto aqui, é necessário refletir sobre a questão do olhar – que deve se manter o mesmo, tanto nas circunstâncias da vida cotidiana como em quaisquer outras.

Convém meditar sobre tudo o que foi exposto aqui.

O MODO DE SEGURAR A ESPADA LONGA

Ao segurar a espada longa, é indispensável manter o polegar e o indicador flexíveis, o dedo médio nem tão apertado nem tão frouxo, comprimindo a espada com o anular e o mínimo.

Não é bom existir folga na palma da mão que segura o punho da espada. Agarrar a espada longa com a intenção de cortar o inimigo. No momento de golpear o adversário, deve-se conservar inalterada a posição da palma da mão, a fim de que ela possa agir com inteira liberdade. No caso de golpear a espada inimiga, interceptá-la ou prendê-la com a sua, mude o polegar e o indicador apenas o necessário para segurar a espada com a determinação de cortar o adversário.

No caso de "corte para teste",[22] ou quando se aplica a arte da esgrima no golpear, não deve haver alteração na palma da mão para cortar um homem. No geral,

---

[22] "Corte para teste": experimentava-se a espada nova num animal (cão, gato etc.) e em condenados à morte. E também em elmos, feixes de palha etc., chamados *mono*. O corte para testar o fio da espada denomina-se *tameshi-giri*, sendo atividade altamente especializada.

tanto no que diz respeito à espada longa quanto às mãos, é condenável a imobilidade. A imobilidade representa a mão da morte. A mobilidade é a mão da vida.

É necessário examinar tudo o que foi dito e refletir.

O MOVIMENTO DOS PÉS

Para movimentar os pés, as pontas dos artelhos devem permanecer ligeiramente soltas, enquanto os calcanhares pisam firmemente. O trabalho dos pés, levando-se em conta as diferenças no tamanho dos passos ou na sua velocidade, consiste em mover-se sempre como no caminhar normal. Desaprovo os três modos de mover os pés conhecidos como "pés saltadores", "pés flutuantes" e "pés fixos".

Nos mandamentos da arte militar, são importantes os pés *yin-yang*.[23] A expressão "pés *yin-yang*" significa não movimentar somente um pé. Ou seja, deve-se movimentar os pés esquerdo-direito, direito-esquerdo, no momento de golpear, recuar ou aparar um golpe inimigo. Repito que jamais se deve mover um só pé.

Refletir bem.

AS CINCO POSIÇÕES DE GUARDA

As cinco posições de guarda são: alta (espada acima da cabeça), mediana (espada na altura do rosto), baixa (ponta da espada dirigida para baixo), lateral direita e

---

23 *"Yin-yang"*: as duas forças cósmicas ou princípios interativos de *yin* e *yang*, positivo e negativo, ativo e passivo. *In* e *yô*, em japonês.

lateral esquerda. Apesar da divisão em cinco posições, a finalidade é uma só: cortar o inimigo.

Não há senão as cinco posições. Em qualquer uma delas, não se preocupe com a posição em si, toda a atenção deve ser concentrada em golpear o oponente. A dimensão maior ou menor da guarda deve ser decidida de acordo com a circunstância ditada pelo momento.

A alta, a mediana e a baixa são as posições essenciais do corpo; as laterais, posições de aplicação flexível. As posições laterais direita ou esquerda são usadas quando o espaço acima da cabeça e um dos lados se apresentam obstruídos. A decisão de optar pela direita ou pela esquerda depende das circunstâncias.

O ponto essencial destes mandamentos consiste, em última análise, na posição do meio, que é a melhor. Aplica-se esse princípio no confronto de exércitos; a posição do meio é a do general, sendo seguida pelas outras quatro.

Deve-se pensar e refletir sobre isso.

MANDAMENTOS DA ESPADA LONGA

Conhecer os mandamentos da espada longa consiste em, mesmo quando se brande a espada longa com dois dedos, poder manejá-la à vontade, dominando perfeitamente sua trajetória. Contudo, vibrar com rapidez a espada longa, tentando executar meneios e floreios, pode resultar em dificuldades. Ela deve ser manejada naturalmente, com o espírito calmo. Querer brandi-la com rapidez, como se se tratasse de um leque ou de uma faca pequena, é criar dificuldade, porque contraria os mandamentos da espada longa. Nesse caso, temos uma ação imprópria para a luta, que impossibilita cortar o adversário.

Para golpear verticalmente com a espada longa, deve-se erguê-la seguindo a trajetória mais adequada. Em caso de golpe lateral, utilizar a via mais certa para a volta, abrindo sempre bem o cotovelo. Golpear com força. Esses são os mandamentos da espada longa.

Dominadas as cinco posições básicas de guarda da nossa arte militar, os mandamentos da espada longa estarão definidos e o seu manejo, facilitado.

Exercitar bem.

SEQUÊNCIA DAS CINCO POSIÇÕES

• A primeira posição de guarda é a mediana e consiste em colocar a ponta da espada longa diante do rosto do inimigo ao se defrontar com ele. No momento em que ele atacar, desvie sua espada longa para a direita e "monte-a".[24] Se ele atacar uma segunda vez, replique com a ponta da espada, defletindo a espada longa do inimigo para baixo, deixando-a nessa posição. E, diante de nova tentativa de ataque do adversário, corte as mãos dele num golpe de baixo para cima. Essa é a primeira posição básica.

---

24 "Montar" não é puxar nem desviar a espada. É passar rápido por cima da ponta da espada adversária, cruzando com ela.

Uma descrição genérica torna-se insuficiente para a boa compreensão das cinco posições básicas de guarda. Acima de tudo, elas precisam ser praticadas segundo os mandamentos da espada longa. Com o conhecimento prático das cinco posições básicas, é possível assimilar os mandamentos da sua própria espada longa, bem como os da espada manejada pelo inimigo. Essa a razão por que insisto não haver outras posições senão as cinco descritas para se pôr em guarda na Escola *Nitô*.

É preciso treinar muito.

• A segunda posição básica é a alta, pela qual se mantém a espada longa acima da cabeça. Essa posição consiste em golpear o adversário no momento em que ele começa a atacar. Se não conseguir atingir o inimigo, mantenha a arma na posição em que ficou e, no instante do segundo ataque adversário, golpeie-o de baixo para cima. Fazer o mesmo diante de outro ataque.

Para pôr em prática as posições básicas da guarda aqui descritas, deve-se levar em conta as diferentes situações psicológicas e os diferentes ritmos. No entanto, por meio de intensos e minuciosos treinamentos da Escola *Ichi*, será alcançado o perfeito conhecimento dos mandamentos das cinco posições de guarda com a espada longa. Assim, se chegará à vitória de uma ou de outra maneira.

É preciso exercitar bem.

• A terceira posição de guarda é a baixa, pela qual se mantém a ponta da espada para baixo, como se se carregasse algo nas mãos. Quando o inimigo atacar, procure atingi-lo nas mãos, de baixo para cima. Nesse momento, ele procurará derrubar a espada longa de suas mãos; golpeie então outro ponto, atingindo seu braço, ferindo-o pelo lado. Essa posição, com a ponta da espada para baixo, consiste em dar o golpe fatal no momento do ataque inimigo e se aplica sempre no treinamento da trajetória da espada longa, seja como principiante, seja em estágio adiantado.
É preciso adestrar-se bem com a espada longa.

• A quarta posição é a lateral esquerda. Com a espada posicionada no lado esquerdo, golpeie de baixo para cima as mãos do inimigo que o ataca. Nesse instante, ele procurará derrubar a sua espada; apare o golpe e, a seguir, dê um contragolpe com sua arma um pouco acima da altura dos ombros, a fim de atingir-lhe os braços em diagonal. Eis os mandamentos da espada longa e o meio de vencer no exato momento em que o inimigo ataca.
Convém estudar com afinco.

• A quinta posição é a lateral direita e consiste em se colocar em guarda com a espada longa dirigida para a direita. Ao responder a um ataque inimigo, deve-se erguer obliquamente a espada longa do lado direito até acima da cabeça (posição alta) e golpear o adversário diretamente de cima para baixo. Essa posição é essencial para conhecer os mandamentos da espada longa. Depois de se acostumar com essa posição de guarda, torna-se muito mais fácil o manejo das espadas pesadas.

Não farei uma descrição minuciosa dessas cinco posições básicas de guarda. Antes de mais nada, é preciso conhecer os mandamentos da espada longa da nossa escola, aprender as noções gerais de ritmo e saber discernir o estilo do inimigo no uso da espada longa. Para isso, é essencial o treinamento diário das cinco posições. Na luta contra o adversário, é necessário estar perfeitamente ciente das trajetórias da espada longa, percebendo com clareza as intenções do inimigo e utilizando os diferentes ritmos para alcançar o triunfo em qualquer situação.

É preciso ter grande discernimento.

ENSINAMENTOS SOBRE *UKÔ-MUKÔ*

Ukô-mukô,[25] ou "guarda sem guarda", significa, no sentido mais profundo, saber com clareza se há ou não razão para se pôr em guarda com a espada longa. As cinco posições de guarda existem e podem ser adotadas.

Mas o importante é que o nosso espírito esteja preparado para cortar o inimigo, aproveitando-se de sua iniciativa ou de sua posição, conforme o local e o ambiente.

---

25 Uma advertência para o guerreiro não se prender a formas fixas: o objetivo é vencer.

Quando, de acordo com o julgamento da situação, se abaixa um pouco a posição da espada longa sobre a cabeça, já se estará na posição mediana. Se, por julgar isso vantajoso, a pessoa erguer a espada um pouco acima, passará à posição alta. Também a posição baixa, se elevada um pouco, transforma-se em posição mediana.

Do mesmo modo, as posições laterais, da direita ou da esquerda, se mudadas um pouco na direção do centro, conforme a situação, transformam-se em posições do meio ou baixa.

É por essa razão que se estabelece o princípio do *ukô-mukô*, ou de "guarda sem guarda". Quer dizer, a posição de guarda se modifica livremente, conforme as condições do momento. Em princípio, uma vez com a espada longa nas mãos, deve-se agir com o espírito de cortar o inimigo de qualquer maneira. Ao interceptar, desviar, fustigar, colar ou tocar a espada inimiga, deve-se ter a mente concentrada, sem vacilação, na oportunidade de cortar o adversário. Quem se preocupar com detalhes, como golpear, colar ou empurrar a espada inimiga, pode perder o momento de cortar o inimigo com a decisão e a eficiência devidas. É importante pensar que tudo constitui motivo para a cutilada decisiva.

Refletir bem.

Segundo os mandamentos da arte militar, a disposição de forças dos exércitos em luta também representa uma posição de guarda. Tudo serve para a busca da vitória no combate. A posição de imobilidade é reprovável.

É preciso muita reflexão sobre o que foi dito.

ABATER O INIMIGO COM O "GOLPE DE UM TEMPO"

O "golpe de um tempo" para abater o adversário consiste no seguinte: achando-se os dois combatentes frente a frente, ao alcance da espada longa, atacar com uma cutilada rápida e direta, sem vacilação do corpo nem do espírito, enquanto o inimigo ainda estiver indeciso. O ritmo que impede o adversário de tomar uma resolução – seja de desembainhar, seja de aparar ou de golpear com sua espada longa – eis o "golpe de um tempo".

Exercitar-se para poder golpear com rapidez fulminante.

O "GOLPE DE DOIS TEMPOS DOS QUADRIS"

Esse ritmo deve ser buscado no momento em que desembainho a minha espada e o oponente recua depressa ou retoma instantaneamente sua posição de assalto. Nesse caso, finjo atacá-lo e, aproveitando o momentâneo relaxamento que se segue à tensão de ataque do adversário, golpeio-o sem perda de tempo e, a seguir, dou outro golpe. Este é o denominado "golpe de dois tempos dos quadris".

A explicação por si só não é suficiente para dominar essa tática, mas a prática com certeza levará mais facilmente à compreensão.

MUNEN MUSÔ, OU GOLPE INCONSCIENTE

No momento em que o inimigo se apresta a me atacar e eu me preparo para fazer o mesmo, golpeio com toda a força do meu corpo e do meu espírito – a mão golpeia, inconscientemente, partindo do vácuo, com rapidez e força. Eis o golpe *munen musô*,[26] de valor extraordinário. É frequente encontrar esse golpe.

GOLPE DA ÁGUA CORRENTE

Quando me defronto com o inimigo, espada contra espada, e ele procura recuar, desviar-se ou se desembaraçar rapidamente da minha espada longa, cresço de corpo e espírito e, como a água que se detém diante de um abismo, eu o golpeio com toda a força, o mais lentamente possível. Esse é o chamado "golpe da água corrente". Uma vez dominado esse golpe, serei dono de um eficiente meio de vencer.

É muito importante, porém, conhecer o posicionamento do adversário.

---

26 "*Munen musô*": libertação de toda e qualquer ideia ou pensamento; estado de serenidade absoluta.

GOLPE POR CORRELAÇÃO

Ao iniciar meu ataque, o inimigo tenta contragolpear ou escapar da minha espada, empurrando-a. De um só golpe, atinjo-o na cabeça, nas mãos e nas pernas.

Com uma só trajetória da espada longa, golpear várias partes do corpo do inimigo – eis o golpe por correlação.

Aconselho aprender bem esse modo de atacar, porquanto são frequentes as oportunidades de sua aplicação.

Praticar incansavelmente até assimilar bem essa tática.

GOLPE DE *MOMIJI*

O golpe de *momiji*[27] consiste em derrubar a espada longa do inimigo e reassumir a posição de guarda com a espada longa. Diante do antagonista – que tenta me golpear, desviar ou aparar minha espada, com a sua posicionada na minha frente –, minha disposição é aplicar-lhe o golpe *munen musô* ou o golpe da faísca de pederneira. Em qualquer desses casos, bato energicamente na espada longa do adversário, mantendo-me firme no domínio da arma inimiga e fustigando-o com a ponta da minha. Dessa forma, as espadas ficam como que coladas, e eu golpeio de cima para baixo, o que fará com que o inimigo fatalmente acabe por largar sua espada longa.

---

27 "*Momiji*": folhagem colorida de outono, cuja beleza é muito apreciada pelos japoneses. Símbolo do outono, período em que caem as folhas das árvores, depois de se tingirem de cores avermelhadas, como as aceráceas. Ou seja: fazer a espada cair como um folha no outono.

Com muito treino, torna-se fácil derrubar a espada inimiga. Treinar bem, portanto.

GOLPE DA FAÍSCA DE PEDERNEIRA

O golpe da faísca de pederneira consiste em bater com toda a força a minha espada longa contra a espada longa do inimigo – no exato instante em que ambas se encontram –, sem levantar nem um pouco a minha espada. Isso significa golpear com força e rapidez, usando pernas, corpo e mãos. Sem um treinamento frequente, é impossível aplicar esse golpe.

Com bom treinamento, acerta-se com força

O CORPO QUE SUBSTITUI A ESPADA LONGA

O que quer dizer também "a espada longa que fica no lugar do corpo". Geralmente, quando se golpeia o antagonista, o corpo e a espada longa manobram ao mesmo tempo. Entretanto, dependendo da maneira como o inimigo ataca, pode-se primeiro avançar contra ele com o corpo e, a seguir, atacar com a espada longa. Pode acontecer de o adversário manter o corpo imóvel quando se usa a espada longa em primeiro lugar. Mas a regra geral é avançar primeiro o corpo e, em seguida, dar o golpe com a espada longa.

É preciso refletir bem e aprender a golpear.

GOLPEAR E BATER

Golpear e bater são duas coisas distintas. O golpe, em qualquer de suas formas, é dado com vontade e certeza. Ao passo que bater pode ser entendido como um simples esbarrão em alguém.

Mesmo no caso de se esbarrar com força e provocar a morte imediata do antagonista, ainda assim, trata-se de uma batida. O golpe resulta do ato consciente de golpear. Deve-se fazer bem essa distinção. Bater tanto nas mãos como nos pés do inimigo não passa de batida. Primeiramente, bate-se, para depois dar o golpe forte. Bater tem mais ou menos o sentido de tocar o outro. Com bom treinamento, torna-se fácil captar a diferença entre bater e golpear.

Pesquisar bem.

CORPO DE *SHÛKÔ*

O chamado "corpo de *shûkô*"[28] consiste no espírito de nunca avançar os braços. Em outras palavras, ao atacar o inimigo, estando desarmado, jamais estender os braços, mas avançar o corpo. Significa adiantar-se ao adversário, jogando rapidamente o corpo antes de ele atacar.

Quando a pessoa estende os braços, o corpo fica necessariamente para trás. Daí a importância de avançar com o corpo inteiro. Se os dois antagonistas ficarem ao alcance dos braços um do outro, torna-se ainda mais fácil avançar o corpo.

Examinar cuidadosamente o assunto.

---

28 "*Shûkô*" designa uma espécie de macaco de braços curtos.

CORPO DE LACA E COLA

A tática denominada "de laca e cola" tem como objetivo, ao avançar desarmado, grudar o corpo ao do adversário e não se separar dele. Ao colar seu corpo ao do inimigo, fazê-lo firmemente, com a cabeça, o tronco e as pernas. Em geral, as pessoas aproximam depressa o rosto e as pernas, ficando, porém, com o tronco afastado. Mas é necessário grudar seu corpo ao do outro, sem deixar nenhum espaço entre ambos.

Refletir bem.

GANHAR PELA ESTATURA

A tática de ganhar pela estatura é usada no momento de arremeter contra o inimigo e seu objetivo é ter o cuidado de não se encolher. Estique bem as pernas, os quadris e o pescoço, encostando o rosto no dele. Ao distender seu corpo ao máximo, você aumentará sua altura e terá mais condição de vencer o adversário.

Avançar com força. Isso é importante.

GRUDAR NA ESPADA DO INIMIGO

Quando o inimigo ataca e eu contra-ataco com a espada longa, aparando seu golpe, avanço com o objetivo de colar minha espada longa à sua. Procuro evitar que as duas espadas se separem. Trato de avançar, evitando bater com muita força na espada longa do adversário. Basta encostar a espada na do adversário e avançar sempre com a minha espada grudada na dele.

Isso não apresenta nenhuma dificuldade, desde que se mantenha toda a calma.

Grudar é uma coisa, enroscar é outra. Grudar é forte, enroscar é fraco.

Deve-se distinguir bem as duas coisas.

CHOQUE COM O CORPO

Esse golpe consiste na decisão de chegar bem perto do adversário, através de uma brecha na sua guarda, e atacá-lo com o corpo. Vire o rosto um pouco de lado e avance, batendo com o ombro esquerdo no peito do inimigo. Execute com força esse golpe. No instante favorável, saltar com agilidade sobre o inimigo e bater resolutamente em seu peito.

Esse método de ataque, se bem executado, tem força suficiente para lançar o inimigo a uma distância de 4 a 5 metros e pode levá-lo ao desmaio.

Treinar e aperfeiçoar.

TRÊS MANEIRAS DE APARAR GOLPES

Há três maneiras de aparar os golpes de espada do inimigo quando se avança contra ele:

- primeiro, para interceptar a espada longa do inimigo que ataca, posiciono a minha como se fosse atingi-lo nos olhos; com isso, desvio sua arma para a direita;

- ou, então, executo o chamado espetar/aparar,[29] no

---

[29] No golpe de espetar/aparar, a ponta da espada é geralmente direcionada

qual intercepto o golpe da espada longa do inimigo, empurrando-a como se visasse atingir seu olho direito e fosse tesourar seu pescoço;

• ou, ainda, no momento do golpe inimigo, dispondo de uma espada curta, não me preocupo muito em deter a espada longa do antagonista: ataco com a mão esquerda como se fosse perfurar seu rosto.

Esses são os três modos de aparar golpes da espada inimiga. Pense como se fosse fechar a mão esquerda para golpear com o punho o rosto do adversário.

Isso exige muito treinamento.

PERFURAR A FACE DO INIMIGO

Para executar essa tática é preciso, no momento de confrontar o inimigo com a espada longa, ter bem firme no espírito a intenção de atingir seu rosto com a ponta da espada, aproveitando o espaço deixado entre as duas espadas longas.

Desde que se tenha o firme propósito de atingir a face inimiga, o rosto e o corpo do adversário se tornam vulneráveis por penderem para trás. Ao tornar o inimigo vulnerável, fica-se na posição privilegiada de poder vencê-lo de diversas maneiras. É preciso perquirir o melhor modo de fazê-lo.

---

para o olho esquerdo do adversário, mas procurando atingir seu olho direito. Espetar como se fosse dar uma tesourada no pescoço, para aparar a espada inimiga.

Se durante o combate o inimigo se tornar vulnerável, pode-se vencê-lo rapidamente. Mas nem por isso se deve esquecer de perfurar a face do inimigo.

No decurso do treinamento da arte militar, é necessário exercitar intensamente a fim de conseguir essa vantagem.

PERFURAR O CORAÇÃO

Quando, durante o combate, se apresentarem obstáculos para golpear o inimigo de cima e dos lados, procure perfurá-lo. Com a intenção de desviar a espada longa do inimigo, coloque horizontalmente o dorso de sua espada à vista do adversário e, com um pequeno recuo, perfure seu coração, tendo o cuidado de não entortar a ponta da espada longa.

Esse método deve ser aplicado quando se está fatigado ou quando a espada não estiver cortando bem.

É preciso discernir bem isso.

BRADAR KATSU! TOTSU!

Os gritos *Katsu!* e *Totsut!*[30] são emitidos quando o inimigo tenta contra-atacar no momento em que você o golpeia e o encurrala. Então, você replica, como que tentando perfurar de baixo para cima, tudo em ritmo rápido, gritando: *Katsu! Totsu!* Isto é, levante a espada

---

30 Originariamente, *Katsu!* ("Ora, vamos!") é um grito de repreensão ou censura; *Totsu!* (aproxima-se do nosso "ira!", "arre!") é a admoestação dada por monges zen-budistas quando recriminam pensamentos impuros ou errados de seus discípulos.

com o grito *Katsu!* e, com a intenção de perfurar, exclame *Totsu!* Esse é um ritmo que se encontra com frequência na troca de golpes.

Para praticar o método *Katsu! Totsu!*, levante a ponta da espada longa e procure perfurar o adversário. Ao mesmo tempo que levanta a espada, perfure o inimigo. Esse ritmo precisa ser repetidamente treinado.

APARAR COM PANCADA

Quando, na troca de golpes com o antagonista, o ritmo do combate se torna confuso, apare o ataque com uma pancada da espada longa e, sem perda de tempo, abata o inimigo.

O princípio da pancada não consiste em aparar ou bater com força, mas, sim, em agir conforme a força do golpe da espada longa do inimigo e golpeá-lo imediatamente após a pancada. O importante é adiantar-se no bater e no golpear.

Aperfeiçoando o ritmo da pancada, por mais poderosos que sejam os golpes do adversário, a ponta da sua espada longa não sofrerá recuo. Desde que você esteja preparado para a ação de dar a pancada.

É preciso aprender bem e pesquisar muito esta técnica.

DIANTE DE INIMIGOS NUMEROSOS

Em caso de confronto com muitos inimigos, isto é, de enfrentar sozinho um grande número de adversários, deve-se proceder da seguinte forma: desembainhar as duas espadas, a longa e a curta, tomar posição de guarda com as duas espadas estendidas[31] à direita e à esquerda. Mesmo que os inimigos ataquem dos quatro lados, procure rechaçá-los numa direção.

No momento do ataque inimigo, procure perceber quem avança primeiro e quem vem depois, atacando de imediato os da frente, sem perder de vista a situação como um todo. Golpear os adversários que estão à frente e, com o retorno da espada longa, abater aqueles que se encontram ao lado. É arriscado errar o golpe e perder tempo. Voltar incontinenti à posição de guarda, com as espadas nos dois lados, abatendo primeiro os inimigos que atacam na frente e a seguir os que chegam de trás.

É preciso forçar os inimigos a fazerem uma formação igual à dos peixes em cardume, em fila indiana, e, no momento em que esta se desorganizar, formando grupos separados, golpeá-los sem perda de tempo com força e determinação nos seus pontos de junção. Se não concentrar toda a sua atenção em persegui-los, poderá ter maus resultados. Também não é bom atacar apenas um adversário por vez, à medida que ele avança, pois aí

---

31 O professor Watanabe suspeita que haja falta de uma frase anterior. Recorre a uma edição popular onde se encontra a seguinte versão. "Manejar ao mesmo tempo as duas espadas, cortando o inimigo da frente com a espada longa e na sua volta cortar o adversário que avança do lado. É imperdoável perder tempo num erro de golpes".

se perde tempo. É preciso achar o ritmo dos inimigos,[32] atacar seus pontos fracos, abatê-los e vencê-los.

Em seus treinamentos, procure reunir um grande número de pessoas para que sirvam como seus adversários e para encontrar o melhor meio de vencê-los. Uma vez entendido o espírito dessa técnica, poderá vencer sem dificuldade não só um como dez ou vinte inimigos.

Exercitar e refletir bem.

VANTAGENS DA TROCA DE GOLPES

As vantagens da troca de golpes residem em compreender as razões de vencer com a espada longa na arte militar. Como não é possível descrever em minúcias essas razões, treinar bastante para conhecer os meios de chegar à vitória.

"Os verdadeiros mandamentos da arte militar são revelados pela espada longa", diz a tradição.

UM GOLPE

Pode-se vencer com toda a certeza desde que se compreenda o espírito de "um só golpe". Para isso, é necessário o estudo profícuo da arte militar. Treinando bem e compreendendo o sentido desse golpe, a pessoa familiariza-se a tal ponto com a arte militar que sempre poderá triunfar.

Deve-se treinar bem esse golpe.

---

[32] No original está "inimigos dos inimigos" (*teki no teki*); aparentemente, um equívoco do autor.

COMUNICAÇÃO DIRETA

O espírito da comunicação direta é o modo como os verdadeiros mandamentos da Escola *Niten-Ichi* são recebidos e transmitidos. "Treinar intensamente o corpo para absorver o espírito", diz a tradição.

O que ficou escrito até aqui explica, de modo geral, o *kenjutsu* – a arte da espada – da Escola *Ichi*.

• • • •

Para saber como vencer com a espada longa na arte militar, aprenda primeiro a sequência das Cinco Posições Básicas e com ela as Cinco Posições de Guarda, absorvendo naturalmente os mandamentos da espada longa. Isso implica tornar o espírito muito alerta e vivaz e conhecer o ritmo dos mandamentos, aperfeiçoando-se no manejo da espada longa, ou seja, movimentando o corpo e as pernas conforme a vontade do espírito. Pode-se então vencer um, depois dois, sabendo, com o tempo, discernir o bom do ruim na arte militar. Procure compreender em profundidade o conteúdo deste livro, treinando item por item, lutando com adversários e conquistando aos poucos as vantagens dos mandamentos.

Mantendo-se o espírito sempre atento e decidido, mas sem precipitação, é possível absorver as virtudes desses mandamentos e, por meio do treinamento disciplinado, enfrentar em duelo qualquer adversário que aparecer pela frente, aprendendo a conhecer, assim, os modos de pensar deles. Dentro desse espírito, passo a passo se percorrem as mais longas distâncias.

É preciso ponderar com calma e tomar como missão de samurai a prática desse método.

Hoje, você terá a vitória sobre o que foi ontem; amanhã, triunfará sobre os menos preparados; depois, sobre os mais competentes.

Seguindo o exposto neste livro, esteja sempre atento para nunca se desviar dos verdadeiros mandamentos. Mesmo que vença alguns inimigos, se isso for feito contrariando as normas ensinadas aqui, você estará fugindo dos verdadeiros mandamentos. Com o espírito impregnado dessas vantagens, estará preparado para vencer até dezenas de antagonistas. Então, terá aprendido a sabedoria do *kenjutsu* e, com ela, a arte militar aplicada ao combate individual ou ao confronto de exércitos. É preciso forjar a sua arte da espada com treinamentos de mil dias; depois, poli-la com treinos de dez mil dias.

Examinar e apreciar bem.

3
FOGO

Escrevo este Capítulo do Fogo com o objetivo de fazer uma comparação entre o combate e a força do fogo na arte militar da Escola *Nitô-Ichi*. Inicialmente, devo observar que os chamados estrategistas em arte militar costumam encarar apenas as suas pequeninas vantagens. Fazendo uma analogia com as pontas dos dedos, conhecem tão-somente a vantagem de três a cinco polegadas do pulso. Ou seja, conhecem apenas a vitória a uma pequena distância do cotovelo, como se movimentassem um leque muito depressa ou devagar demais. E há também aqueles que, usando espadas de treinamento feitas de bambu e revestidas de pano, aprendem as pequenas vantagens da velocidade, movimentando os braços e as pernas, contentando-se exclusivamente com destrezas menores.

Na nossa arte militar, contudo, luta-se arriscando a vida no decurso de muitos embates, discernindo o sentido da vida e da morte através dos mandamentos da espada, conhecendo a força e a fraqueza da espada longa manejada pelos adversários, bem como seus golpes, e aprendendo o modo correto de manejar a espada longa,¹ a fim de chegar ao perfeito preparo para vencer o antagonista.

Assim, pequeninas coisas ou técnicas infantis, como as mencionadas, não são levadas em consideração na nossa escola. Num combate real, quando se enverga armadura completa composta de seis peças,² pequenas técnicas não devem ser sequer lembradas. Os fundamentos da nossa arte militar consistem em conhecer os mandamentos verdadeiros, para, numa luta de vida ou morte, enfrentar sozinho cinco ou dez adversários. Por conseguinte, o mesmo princípio se aplica quando um enfrenta e vence dez ou quando mil triunfam sobre dez mil inimigos.

É preciso examinar e julgar muito bem esse princípio.

No entanto, é impraticável reunir mil ou dez mil pessoas num treinamento normal para aprender esses mandamentos. Mesmo um só, com uma espada longa, medindo os recursos estratégicos do inimigo, conhecendo seus pontos fortes ou fracos e sua técnica, pode, com a sabedoria da arte militar da nossa escola, chegar a saber como vencer dez mil homens, tornando-se assim mestre desses mandamentos.

Poderá, então, pensar do seguinte modo: quem no mundo, fora eu, poderá conhecer os mandamentos

---

1 Se não houver pleno conhecimento do uso da espada longa, é impossível cortar o inimigo. A arte de esgrimir da Escola *Nitô-Ichi* começa pelo manejo correto da espada longa.

2 As seis peças seriam: armadura do corpo, elmo, máscara, manoplas, grevas das coxas e pernas.

corretos da nossa arte militar e aprofundá-los até o último grau? E, depois de exercitar e aperfeiçoar-se dia e noite, tornar-se-á senhor de si, alcançará a liberdade e o prodígio de conseguir extraordinária força mágica – essa é a disposição espiritual de um samurai ao praticar as leis da arte militar.

SOBRE AS CONDIÇÕES DO LOCAL

Faz-se mister conhecer as condições do local de combate. No caso de haver sol, toma-se a posição de guarda com o sol pelas costas. Se a situação não permitir essa tática, procura-se receber a luz solar do lado direito. Numa sala, deve-se receber a iluminação da mesma forma: por trás ou pelo lado direito. É conveniente que o espaço que fica atrás não esteja obstruído e que o lado esquerdo tenha certa folga de espaço, mantendo-se a guarda fechada do lado direito.[3]

Mesmo à noite, quando o local em que se está pode ser visto pelo antagonista, deve-se fazer o mesmo: manter o fogo atrás ou receber a luz pelo lado direito, não se esquecendo de ocupar posição superior, mantendo-se em guarda no ponto mais alto para ver o inimigo de cima. Numa sala, deve-se considerar o *kamiza*[4] como ponto mais elevado.

---

[3] A necessidade de evitar que o inimigo ataque pelo lado direito deve-se às características específicas da Escola *Nitô* (Duas Espadas).

[4] Numa residência tradicional japonesa, o chefe da família senta-se no *kamiza* ou cabeceira. Fica perto do *tokonoma* (um vão na parede onde se colocam flores, objetos de arte, pintura caquemono etc.)

No caso de entrar em combate, procurar encurralar o adversário no lado esquerdo de onde você se acha, colocando-o em situação complicada, na qual ele tenha obstáculos à retaguarda. É importante forçá-lo a ficar em local difícil e, assim, impedi-lo de ter um campo de visão favorecido para manter você sob mira e sob contínua perseguição. Num aposento, acossá-lo, para não permitir que ele veja onde você está, forçando-o a se afastar, indo na direção da soleira da porta, do dintel, da porta corrediça, da varanda ou dos pilares. Tal como nos casos anteriores, impedir que ele veja sua posição. Em qualquer circunstância, ao perseguir o adversário, colocá-lo em lugar difícil de pisar, onde haja obstáculos dos lados, de forma que você possa aproveitar a superioridade das condições do local para vencer.

Ponderar bem e treinar.

TRÊS MANEIRAS DE SE ADIANTAR AO INIMIGO

Existem três maneiras de tomar a dianteira em relação ao adversário.

- a primeira é aquela em que você toma a iniciativa de atacar o inimigo; chama-se *Ken no sen*, iniciativa de ataque;

- a segunda é a que se toma no momento em que o adversário ataca; denomina-se *Tai no sen*, iniciativa de expectativa;

- a terceira se dá quando você e o inimigo atacam simultaneamente; é chamada *Tai-tai no sen*, iniciativa mútua.

Essas são as três maneiras de adiantar-se frente ao inimigo.

No início de qualquer combate, não existe outra iniciativa senão uma dessas três. Dependendo da maneira como se toma a iniciativa, ela virtualmente pode assegurar a vitória. Essa é a razão pela qual a iniciativa é a prioridade número 1 na arte militar. Conforme a ocasião e as intenções do inimigo, há uma série de pequenos fatores que devem ser levados em conta na hora de adiantar-se a ele.

Não vou descrevê-los com minúcias, pois o importante é vencer o inimigo com a sabedoria da nossa arte militar.

Na iniciativa de ataque, *Ken no sen*, é importante manter-se calmo e atacar bruscamente, tomando assim a iniciativa. Ataque com um movimento vigoroso e rápido do corpo, mantendo o espírito tranquilo e firme. Dar passos um pouco mais rápidos do que os normais. Esta é a iniciativa de atacar com rapidez e agressivamente. Do começo ao fim da luta, é preciso ter a intenção inquebrantável de destruir o antagonista, vencê-lo esmagadoramente. Tudo isso faz parte da iniciativa de ataque.

Na iniciativa de expectativa, *Tai no sen*, quando o adversário arremete, manter-se indiferente, fingir fraqueza. No momento em que ele se aproxima, recuar de modo firme e mostrar que vai saltar para trás. Assim que perceber que o inimigo relaxa, atacá-lo depressa e com força para conseguir o triunfo. Essa é uma forma de se antecipar ao inimigo. Se ele voltar ao assalto, contra-atacar com mais vigor, aproveitando uma pequena mudança no ritmo dele para vencê-lo.

Esse é o princípio do *Tai no sen*.

A iniciativa mútua, *Tai-tai no sen*, é para o caso de precisar enfrentar ataque rápido do adversário, quando é preciso manter a calma e sair para a contraofensiva.

Quando ele estiver mais próximo, assaltá-lo no instante em que apresentar um relaxamento em seu ritmo, obtendo, dessa forma, uma vitória rápida. Caso o antagonista atacar com calma, passe ao contra-ataque — rápido, mantendo o corpo descontraído. Quando o inimigo se aproximar, procure irritá-lo com gestos e observe; quando ele deixar entrever pela expressão do rosto que o momento é oportuno, impinja-lhe uma fragorosa derrota. Eis o *Tai-tai no sen*, iniciativa mútua.

Na impossibilidade de descrever em detalhes o assunto exposto aqui, aproveitar a exposição feita e procurar tirar proveito das três iniciativas, obedecendo os princípios e as circunstâncias do momento. Isso não quer dizer que você atacará sempre antes do adversário, mas, na medida do possível, é desejável dominá-lo e submetê-lo à sua vontade. Seja como for, a iniciativa de adiantar-se ao inimigo significa vencer com certeza, com base no poder da inteligência da arte militar.

É preciso treinar muito bem.

PRENDER O TRAVESSEIRO

A técnica chamada "prender o travesseiro" parte do princípio de que não se deve permitir ao inimigo erguer a cabeça. No contexto da disputa na arte militar, nada pior do que ser manobrado pelo adversário e agir com atraso. O desejável é, ao contrário, manobrar o antagonista à vontade. O adversário pensa do mesmo modo que você e se estriba no mesmo espírito. Porém, sem poder adivinhar a intenção do inimigo, é impossível vencê-lo. A arte militar ensina como deter o adversário no instante em que ele tenta golpeá-lo, dominando suas estocadas e escapando, entre outras coisas, de suas tentativas de derrotá-lo.

Dentro dos nossos mandamentos, prender o travesseiro significa, ao enfrentar o inimigo, perceber suas intenções antes que ele as concretize, dominando sua tentativa de golpear já na letra *g* (de golpear), impedindo-o, assim, de prosseguir na ação. Eis o espírito de prender o travesseiro.

No caso de o antagonista assaltá-lo, detenha-o já na letra *a*; se ele estiver prestes a perfurá-lo, detenha-o já na letra *p*. Esse é o sentido de prender o travesseiro. Em outras palavras, quando o inimigo se prepara para atacá-lo, impeça-o na letra *a*; no momento em que ele saltar, faça-o parar na letra *s*; e, se ele tentar cortá-lo com a espada, impeça-o na letra *c*. Tudo dentro do mesmo espírito. Na hipótese de o adversário tomar a iniciativa do combate, procure neutralizar os movimentos úteis a ele e permita-lhe os inúteis. Esse é um dos pontos essenciais da arte militar.

Mas, se apenas procurar impedir a ação do antagonista, isso quer dizer que você está agindo somente na defensiva. Agir de acordo com os mandamentos significa cortar no nascedouro as intenções do adversário, submetendo-o à sua vontade – eis o caminho do mestre da arte militar, conquistado mediante intenso adestramento.

É necessário examinar e treinar bem o ato de prender o travesseiro.

ATRAVESSAR CORRENTE CRÍTICA

Atravessar corrente crítica significa transpor obstáculos – por exemplo, aqueles que é preciso enfrentar quando, ao navegar por mar, se trata de atravessar um pequeno estreito ou um longo trecho de 160 ou 200 quilômetros. Esses trechos apresentam correntes críticas. Na travessia da vida, uma pessoa certamente terá de superar correntes críticas em muitos lugares. No caso de conduzir um navio, é preciso conhecer os locais das corrente críticas, a posição da embarcação, saber se o dia é ou não propício. Mesmo sem um navio auxiliar, navegará em condições favoráveis ou recebendo vento de estibordo e bombordo ou da popa. Ainda que a direção do vento mude, com a firme vontade de chegar ao porto do destino, é possível remar 12 ou 18 quilômetros sem a ajuda do vento e conduzir o barco, vencendo as correntes críticas.

Essa mesma disposição para transpor obstáculos é necessária na travessia da vida – o que exige espírito preparado para superar quaisquer acontecimentos críticos. Na arte militar, igualmente, durante um combate, é essencial vencer os momentos críticos, conhecendo a capacidade do adversário e utilizando corretamente a própria competência. Dessa forma, apoiado em seus conhecimentos e em seus princípios – tal como um bom navegante supera sua rota marítima –, alcançará a tranquilidade de espírito, atravessando as correntes críticas.

Saber superar os momentos críticos significa ficar em posição de vantagem e assegurar em grande parte a vitória sobre o adversário, que, sem essa experiência, amarga sua fraqueza. Ter o espírito alerta para ultrapassar correntes críticas é tão importante num duelo individual como no enfrentamento de exércitos.

O assunto deve ser muito bem examinado.

CONHECER O MOMENTO

Na arte militar relativa aos combates de exércitos, conhecer o momento – ou a situação do momento – consiste em saber o estado de ânimo ou de desânimo[5] do

---

5 A disposição geral do espírito reside no corpo todo. Deve-se ter a noção de que ela pode ser observada na maneira de pisar com os pés, no modo de empunhar a espada e assim por diante.

inimigo, o estado de espírito dominante na tropa adversária e, a partir daí, conseguir a melhor posição, avaliando a disposição da força contrária e planejando a maneira de promover a ofensiva com a firme convicção de assegurar a vitória baseado nos princípios da nossa arte militar e de lutar com o espírito de nos adiantar ao adversário.

O mesmo vale na arte militar aplicada à luta individual, quando é preciso conhecer a escola do antagonista, sua personalidade, seus pontos fortes e fracos e surpreendê-lo com seu ritmo inesperado e completamente diferente. Observar com a máxima atenção a cadência do inimigo, seus altos e baixos, bem como seu ritmo. Procure vencer sempre pela iniciativa.

Se minha capacidade intelectual estiver totalmente mobilizada, poderei com certeza ter clara visão da situação como um todo. Se eu tiver pleno domínio da arte militar, sabendo medir bem as intenções do inimigo, terei muitos meios para vencê-lo.

Procurar o aperfeiçoamento.

PISAR NA ESPADA

O recurso de pisar na espada é muitas vezes usado na arte militar.

Na situação referente ao combate de tropas, quando o inimigo atira com arco e com espingarda, a tática mais comum consiste em avançar depois dos tiros. Mas, nesse caso, torna-se difícil contra-atacar, pois é preciso colocar a flecha na corda do arco e carregar a espingarda com pólvora. Em razão disso, é preferível sair para a contraofensiva sem perda de tempo, ainda durante a carga das armas inimigas. Frente a um contra-ataque rápido, o inimigo não poderá utilizar nem a flecha nem a espingarda. Em outras palavras, diante da iniciativa de ataque do adversário, é preciso perceber de imediato seu intento e adiantar-se a ele, "pisando" em tudo o que ele faz, a fim de levá-lo ao revés.

Na arte militar da luta individual, acontece o mesmo. Se passo ao contra-ataque depois dos golpes de espada do adversário, o combate assume aspecto confuso e não conseguirei resultado positivo. Por isso, é muito importante ter em mente a ideia de pisar na espada longa do inimigo que vai atacar. Desse modo, posso vencê-lo no momento em que ele se prepara para atacar, impedindo-o de fazê-lo.

Não se pisa somente com os pés, mas com todo o corpo, com o espírito e, naturalmente, com a espada longa. Deve-se compreender que é preciso impedir um segundo ataque do inimigo. Mais uma vez, fazer prevalecer o espírito de adiantar-se em tudo ao adversário. Embora se diga "simultaneamente" à iniciativa do inimigo, atacá-lo somente não basta: é preciso ter a firme intenção de neutralizar sua ação, colando-se a ele.

SABER O QUE É COLAPSO

O colapso, ou quebra, acontece em tudo o que existe no mundo. A casa, o corpo, o inimigo entram em colapso quando chega a hora; então, o ritmo se quebra. Na arte militar aplicada a exércitos, é indispensável aproveitar a quebra de ritmo do adversário para avançar sobre ele sem dar-lhe tempo de respirar. Se perdermos o momento do colapso, o inimigo terá tempo de voltar à ofensiva.

No combate individual, durante o confronto, acontece de o ritmo do antagonista se desregular, evidenciando seu colapso. Se deixarmos escapar essa oportunidade, ele se recuperará e o embate não marchará a nosso favor. No instante em que os sinais de colapso do inimigo forem percebidos, é importante prosseguir no combate com firmeza a fim de evitar sua recomposição. Perseguir com moral forte, golpeá-lo com força, impedindo-o de voltar à luta. Discernir bem este golpe decisivo. Se ele não for dado com determinação, o duelo tende para o impasse.

Cogitar sobre o assunto.

TRANSFORMAR-SE NO INIMIGO

Transformar-se no inimigo é colocar-se no lugar do adversário.[6] Notamos que, em geral, existe tendência a julgar forte o inimigo, mesmo sendo ele um ladrão que, após cometer um roubo, se esconde numa casa. Se soubermos nos colocar no lugar desse inimigo, veremos o quanto ele deve se sentir perdido ao ter que enfrentar

---

6 Colocando-se no lugar do inimigo, refletir sobre dificuldades espirituais dele. O autor explica a necessidade de colocar-se no lugar do adversário para analisar seu estado psicológico.

todo mundo ou fugir. Aquele que se isola é um faisão; o que acossa para matá-lo é um falcão.

É preciso pensar bem sobre essa situação.

Na arte militar aplicada aos embates de exércitos, a tendência é acautelar-se em demasia, julgando o adversário muito poderoso. Supervalorizar o inimigo resulta em ação cautelosa e passiva demais. Contudo, quem dispõe de número suficiente de homens conhece bem os princípios da arte militar e sabe aproveitar a oportunidade de vencer não tem motivo para temer.

Na arte militar de embate individual, do mesmo modo, convém colocar-se no lugar do inimigo para melhor avaliá-lo. Então, pense no inimigo como alguém que, com certeza, sairá derrotado diante de você, que é um bom conhecedor da arte militar e exímio na arte da esgrima.

Reflita com toda a atenção.

SOLTAR AS QUATRO MÃOS

Quando o combate entra num impasse e os dois lados perdem de vista a possibilidade da vitória porque um e outro pensam do mesmo modo, torna-se indispensável o chamado "soltar as quatro mãos".[7] Verificado o embaraço, abandonar imediatamente a primeira intenção e adotar outro recurso vantajoso para triunfar.

---

7 "Quatro mãos" significa a luta corpo a corpo, quando se agarra com as duas mãos as duas do inimigo. O autor aconselha largar as mãos resolutamente no momento em que a luta entrar num impasse.

Na arte militar aplicada ao combate de exércitos, quando se chega a um beco sem saída com o espírito das quatro mãos, você acabará sacrificando muitos de seus homens. Nesse caso, é preciso abandonar imediatamente a ideia inicial e adotar um meio mais eficiente, insuspeitado pelo adversário, para a conquista da vitória.

Assim também na arte militar da luta individual, ao se criar a situação de impasse na tática das quatro mãos, é essencial mudar de orientação, adotando um método completamente diferente para triunfar.

Discernir bem.

MOVER A SOMBRA

A técnica de mover a sombra[8] é aplicada no caso de não se conseguir descobrir o intuito do adversário.

Na arte militar de exércitos, quando não podemos ver a posição do inimigo, fingimos tomar a iniciativa de atacar violentamente a fim de descobrir seu jogo. Uma vez revelada sua tática, torna-se fácil derrotá-lo com um método eficaz.

No combate individual acontece o mesmo. Quando o antagonista empunha a espada longa voltada para trás ou para o lado, basta você mostrar a intenção de golpeá-lo inesperadamente para ele de imediato revelar sua intenção com a espada. Ao descobrir a intenção dele, você

---

8 A palavra "sombra" (*kage*) pode ser escrita com dois *kanji* diferentes. Aqui, trata-se de sombra invisível, sombra das oscilações do espírito. A outra sombra, também *kage*, mas escrita com outro ideograma, é a visível, projetada pela luz sobre objetos opacos.

tem toda a chance de alcançar a vitória, aproveitando as vantagens que a situação oferece. Contudo, se você se distrair, perderá seu ritmo.

Examinar atentamente o assunto.

PRENDER A SOMBRA

O recurso de prender a sombra[9] é adotado no momento em que se nota no adversário a intenção de atacar.

Na arte militar relativa a exércitos, busca-se captar a ideia de manobrar que germina no espírito do inimigo e prendê-la. Se você demonstrar claramente sua intenção de superar a vantagem do adversário, ele procurará mudar de plano, vencido por sua atitude firme e decidida. Então, você muda de ideia e, com espírito sereno, pode adiantar-se ao inimigo para vencê-lo.

Na arte militar aplicada ao embate individual, destrua o vigoroso intento ofensivo do adversário por meio de ritmo vantajoso e, nesse momento de vantagem, quando a intenção de ataque do inimigo fica suspensa, tome a iniciativa que conduzirá você ao triunfo.

É necessário pesquisar muito bem.

PASSAR ADIANTE

Passar adiante[10] é algo que acontece em muitas situações. Passa-se adiante o sono, por exemplo, e também

---

9 A sombra (*kage*) de que se trata aqui é a sombra visível.

10 Trata-se da intenção de contagiar, da necessidade de adotar uma tática de indução psicológica.

se passa adiante o bocejo, além de muitas outras coisas. Pode acontecer de se passar adiante o tempo.

Na arte militar de batalha de exércitos, quando se verificar que o inimigo está inquieto, com o espírito disposto a se precipitar em ação, não se deve ficar preocupado. É preciso agir de modo a parecer indiferente. O adversário se deixará contagiar por essa atitude, amolecendo. No instante em que julgar haver transmitido esse estado psicológico, passe rapidamente a um assalto vigoroso, com o espírito do vácuo (ou nada). Você terá então a vantagem da vitória.

Na arte militar aplicada ao embate individual, mantenha relaxados espírito e corpo. Procure um momento de distração do adversário, tome uma iniciativa rápida e vigorosa para vencê-lo. Isso é essencial.

Existe também outra tática semelhante – o chamado "fazer embriagar". Há ainda a tática de transmitir o espírito de enfado, de indecisão e de debilidade.

Tudo precisa ser muito bem excogitado.

PROVOCAR INQUIETAÇÃO

A inquietação[11] surge em muitas circunstâncias. Em primeiro lugar, surge no momento de perigo iminente; em segundo, diante de grandes dificuldades; em terceiro, quando há surpresa. É preciso entender bem isso.

Na arte militar do combate de exércitos, é importante provocar inquietação no oponente. Surpreender o

---

[11] Tática destinada a endurecer e irritar o espírito do adversário. Visa à paralisação psicológica do inimigo.

inimigo, atacando-o, onde ele menos espera, por meio de assalto violento. É essencial tomar a dianteira através de tática vantajosa antes que o adversário tome qualquer decisão – e levá-lo à derrota.

Na arte militar da luta individual, deve-se mostrar inicialmente relaxado e, a seguir, atacar súbita e violentamente o antagonista. Aproveitar-se da vacilação do espírito e da atuação do inimigo para, sem perda de tempo, avançar na conquista da vitória, valendo-se da vantagem do momento. É importante alcançar o triunfo desse modo.

Examinar muito bem o assunto.

ATEMORIZAR

Temor é algo que acontece com frequência. O temor é um estado de espírito geralmente provocado por algum acontecimento inesperado.

Na arte militar de combate de exércitos, deve-se procurar atemorizar[12] o inimigo não apenas por meio de coisas imediatamente visíveis. É possível fazê-lo lançando mão de outros recursos, como o grito, levando-o a superestimar a nossa força, ou procurando assustá-lo mediante ameaças de surpresa em seus flancos.

O inimigo sempre será vencido desde que saibamos aproveitar seu ritmo atemorizado da melhor maneira.

Na arte militar de combate individual, da mesma forma, pode-se amedrontar o adversário com o corpo,

---

12 Essa tática tem por finalidade provocar o pavor e a paralisação psicológica do adversário.

com a espada longa, com o grito e, aproveitando-se de seu estado de temor, assaltá-lo de modo inesperado, conquistando a vitória. Isso é essencial.

Procure examinar com atenção o assunto.

INFILTRAR-SE

Quando você e o adversário estão próximos e se batem, ambos dando o máximo de si, não sendo possível vislumbrar um modo de superá-lo, procure confundir-se com ele num só "rolo". Procure encontrar, então, uma técnica adequada para triunfar. Isso é o que importa.

Na arte militar de combate de grupos ou de luta individual, quando os dois lados se confrontam com igualdade de forças, cria-se um perigoso impasse. Nesse caso, procure infiltrar-se nas forças adversárias a ponto de tornar impossível reconhecer a diferença entre amigos e inimigos. Nessa situação, procure uma oportunidade para forçar a vitória certa e esmagadora.

Reflita bem sobre o assunto.

ATACAR OS CANTOS

Atacar os cantos salientes[13] do inimigo é uma tática que provém de uma comparação: é muito difícil empurrar frontalmente um objeto pesado e sólido, mas torna-se fácil fazê-lo aos poucos e de viés.

Na arte militar do combate de exércitos, procura-se avaliar o número de combatentes inimigos e em seguida

---

13 Trata-se de uma tática para enfrentamento de inimigos muito fortes.

atacar setores mais fortes e avançados, para se colocar em situação vantajosa. Enfraquecendo os cantos salientes, o ânimo de toda a força inimiga tende a se debilitar.

É importante prosseguir no ataque aos cantos fortes do adversário, mesmo diante do seu enfraquecimento, a fim de assegurar a vitória.

Na arte militar de combate individual, procurar ferir os pontos nevrálgicos do corpo do inimigo. Então, ele se enfraquecerá pouco a pouco, acabando por entrar em colapso e, assim, tornando a vitória fácil.

É importante examinar o exposto, refletir e compreender os meios de chegar à vitória.

PROVOCAR PERTURBAÇÃO

Provocar perturbação[14] consiste em procurar desestabilizar o espírito do adversário.

Na arte militar do combate de exércitos, a primeira coisa a fazer no campo de batalha é desde logo perceber as intenções do inimigo e, a partir daí, procurar confundir seu espírito com a força da inteligência da nossa arte militar. Desnorteado, ele poderá pensar as mais diferentes coisas sem conseguir discernir se é aqui ou lá, este ou aquele, se é cedo ou tarde demais. Aproveitar então a perturbação de ritmo gerada pela oscilação do espírito do inimigo para conceber a maneira certa de triunfar.

---

14 Provocar confusão e perturbação nas hostes adversárias. Em resumo, tática destinada a causar inquietação psicológica no inimigo.

Quando o confronto é individual, deve-se criar a oportunidade ensaiando diversos tipos de ataque, como mostrar que vai perfurar ou golpear, ou ainda ameaçar com um corpo a corpo. No instante em que o antagonista mostrar os primeiros sinais de nervosismo, atacá-lo com veemência, vencendo-o com facilidade.

Eis a essência da luta.

OS TRÊS GRITOS

Os três gritos ocorrem antes, durante e depois da luta, pois grita-se de acordo com a situação ou com o momento do combate. O grito é uma expressão de força. Grita-se diante de um incêndio, do vento ou das ondas. O grito prova a energia de quem o emite.

Na arte militar do embate entre exércitos, quando se emite o grito do começo da luta, dá-se ênfase ao volume da voz para amedrontar o adversário. O grito do meio do combate, dado em tom grave, sai do fundo do ventre. E o último, depois da vitória, é um grito alto e forte. São esses os três gritos.

Também na arte militar relativa ao combate individual, a fim de assustar o inimigo, age-se como se para golpear e grita-se "Ei!", golpeando a seguir com a espada longa.[15] Depois de derrubar o adversário com o golpe, grita-se anunciando o triunfo. Esses dois gritos são chamados de *sengo no koe*, grito de antes e depois. Não se

---

[15] Põe-se em discussão o valor tático do grito de estímulo. Musashi limita-se aqui a citar apenas o primeiro grito "Ei!", entre os três. O professor Watanabe acredita que os outros gritos sejam "*Yatsu!*" ("Oô!") e "Tó!".

deve gritar alto no momento de golpear com a espada longa. O grito dado durante o duelo é para acompanhar o ritmo em tom grave.

Examinar bem o que foi dito.

MOVER-SE PARA CONFUNDIR

Num confronto de duas forças em campo de batalha, sendo o inimigo mais forte, adota-se o chamado "movimento de ziguezague" para atacar. Ataca-se um setor do adversário. Derrotando-o nesse setor, busca-se outro, forte, abandonando aquele. De modo geral, trata-se de uma tática em ziguezague, em amplas curvas do flanco direito para o esquerdo.

Na arte militar do combate individual, essa tática é muito importante, mesmo no caso de confronto com muitos inimigos. Não se limite a vencer uma parte deles ou a forçá-los a bater em retirada apenas. Depois dessa etapa, procure atacar outro setor mais forte, seguindo atentamente o ritmo do adversário, atacando-o tanto à direita como à esquerda com a tática de ziguezague, sem perder de vista o estado de ânimo do inimigo. Bem avaliada a força dele, passe ao assalto decisivo sem hesitação. A vitória será alcançada.

No caso de atacar o inimigo forte em luta individual, mantenha sempre o mesmo estado de espírito. Avançar em ziguezague, não recuar nem um pouco.

É preciso discernir com bastante clareza esse espírito.

ESMAGAR

Essa é a tática aplicável quando se considera que o inimigo é fraco. Julgando-se mais forte, você toma a decisão de esmagá-lo sem perda de tempo.

No caso da arte militar aplicada a combate de exércitos, quando perceber que os adversários não são muito numerosos – ou mesmo que estejam em grande número, mas com ânimo vacilante e nervoso –, trate de esmagá-los completamente com todas as suas forças. Se o ímpeto de esmagar for fraco, os adversários se recuperarão. É preciso ter clara na mente a ideia de esmagá-los na palma da mão.

O mesmo deve ocorrer na arte militar de combate individual. Se o inimigo for mais fraco, se notar perturbação em seu ritmo ou se perceber que ele está recuando, é essencial acabar com ele sem perda de tempo. O importante é não lhe dar chance de recobrar o fôlego.

Examinar bem o assunto.

MUDAR DA MONTANHA PARA O MAR

O espírito de mudar da montanha para o mar significa que é ruim repetir muitas vezes a mesma tática num combate com o inimigo. Fazer a mesma coisa duas vezes ainda é admissível, mas nunca três.

No caso de atacar o antagonista e não conseguir sucesso na primeira vez, a segunda é quase sempre de resultado duvidoso. Recorrer então a uma tática completamente diferente e, se isso também não der certo, tentar outra para surpreender o adversário.

Em resumo, no momento em que o inimigo imaginar que é montanha, ataque-o como se fosse mar; se ele pensar que é mar, avance como a montanha. Esse é o espírito dos mandamentos da arte militar.

É preciso examinar bem o assunto.

ULTRAPASSAR O FUNDO

Ultrapassar o fundo acontece quando, em luta contra o inimigo, você o vence com a vantagem dos mandamentos da arte militar, mas apenas aparentemente, pois o espírito do adversário continua mantendo sua combatividade e é possível que ele só esteja vencido na superfície, e não no espírito. Por isso, você deve mudar depressa o espírito e esmagá-lo até o fundo, sendo importante assegurar-se de que ele perdeu todo seu moral de luta.

Ultrapassar o fundo quer dizer fazê-lo com a espada longa, com o próprio corpo e com o espírito. Não existe nenhum modo preciso de consegui-lo. Uma vez destruído o inimigo até o fundo, não é necessário manter o espírito vigilante – mas somente no caso de tê-lo vencido até o fundo. Se você continuar mantendo o espírito de vigilância, é sinal de que ainda não encontrou um modo de acabar em definitivo com o adversário.

É essencial treinar muito o espírito de ultrapassar o fundo, tanto na arte militar de batalha de exércitos como naquela aplicada ao duelo individual.

RENOVAR-SE

Num confronto com o inimigo, acontece de você ficar com o espírito enredado, não encontrando solução. Abandone então suas ideias e tome a decisão de começar de novo, encontrando um novo ritmo. Isso significa renovar-se, isto é, quando considerar que existe uma situação de impasse na luta contra o adversário, deve mudar de orientação, adotando uma ideia totalmente diferente e um ritmo novo que propicie alcançar a vitória.

Na arte militar aplicada a confronto de exércitos, é igualmente essencial compreender o significado da renovação. Com a inteligência da arte militar, isso se torna prontamente claro.

Examinar com bastante rigor o assunto.

CABEÇA DE RATO E PESCOÇO DE TOURO

Se, durante uma luta, tanto você como o inimigo se perderem em minudências e o espírito tornar-se confuso, lembre-se do dito "Cabeça de rato e pescoço de touro"[16] dos mandamentos da arte militar.

Deixando de lado as pequenas ideias, isto é, os ataques a pontos sem importância, procure abraçar de imediato as grandes ideias. Uma das características da arte militar reside, precisamente, em ocupar-se com o mesmo interesse tanto das grandes como das pequenas coisas. Portanto, é essencial que o samurai tenha sempre

---
16 "Cabeça de rato e pescoço de touro" é um simbolismo que significa "a meticulosidade do rato e a ousadia do touro".

em mente, na sua vida cotidiana, o sentido de "Cabeça de rato e pescoço de touro".

Tanto na arte militar de batalha de exércitos como na luta individual, não se deve esquecer esse princípio, mantendo o espírito muito atento para entendê-lo.
O que foi dito deve ser muito bem apreciado e muito bem compreendido.

O GENERAL CONHECE SEUS SOLDADOS

O general conhece seus soldados é um princípio de grande valia, a ser aplicado sempre que se entrar em combate.

Seguindo os mandamentos da arte militar e estando de posse do poder de inteligência que eles contêm, você se torna capaz de considerar mesmo os inimigos como seus subordinados. Poderá então comandá-los, movimentando-os do modo como lhe convier. Dessa maneira, você é o general e os inimigos, seus soldados.

Pensar bem nisso.

SOLTAR O PUNHO DA ESPADA

Soltar o punho da espada[17] é uma expressão que apresenta diversos significados.

Existe o espírito de vencer sem espada, assim como o de ser vencido, mesmo com a espada longa na mão. Não vou expor aqui todos os estados de espírito.

---
17 "Soltar o cabo da espada" não significa abandonar a espada; trata-se, isto sim, de libertar o espírito da preocupação com ela.

O espírito precisa ser forjado.

CORPO DE ROCHA

Quando você dominar completamente os mandamentos da arte militar, poderá modificar imediatamente seu corpo, tornando-o firme como uma rocha, intocável. Nada poderá movê-lo, conforme diz a tradição oral.

● ● ● ●

Escrevi até aqui o que sempre pensei no decurso dos exercícios de esgrima da Escola *Ichi*. É a primeira vez que registro por escrito as vantagens desta escola. A ordem da narrativa se apresenta confusa, pois é difícil explicar os pormenores. Mesmo assim, o texto deve servir de guia para todos aqueles que precisam aprender estes mandamentos.

Desde a minha juventude, dediquei meu espírito aos mandamentos da arte militar, disciplinando as mãos e educando o corpo mediante intensos treinamentos de esgrima, exercitando constantemente o meu espírito. Observando e pesquisando outras escolas, verifiquei que algumas oferecem apenas hábeis frases de efeito, outras não exigem nada além de pequenas habilidades técnicas e se ocupam tão-somente da aparência. Nenhuma apresenta espírito autêntico.

No entanto, acredito que mesmo o aprendizado feito em tais escolas pode adestrar o corpo e o espírito. Mas quase sempre esse aprendizado acaba por prejudicar os mandamentos, transformando-se em defeitos da arte militar, de cuja influência maléfica torna-se difícil escapar. Assim, permanecem para sempre contribuindo para a decadência dos verdadeiros mandamentos da arte militar. A esgrima, *kenjutsu*, tem por finalidade a assimilação dos verdadeiros mandamentos da arte militar para vencer na luta contra inimigos. Este método deve preservar a integridade de seus princípios.

Absorvendo a inteligência da arte militar da nossa escola e praticando-a corretamente, não tenha dúvida de que vencerá.

4

VENTO

Ao escrever este capítulo, que intitulo Vento,[1] tenho como objetivo expor os mandamentos da arte militar de outras escolas. Sem conhecer os mandamentos de outras escolas, é difícil compreender com segurança os da Escola *Ichi*.

Nas pesquisas que empreendi, encontrei aquelas correntes que, adotando espadas extralongas, dedicam-se exclusivamente ao culto da força como meio de aperfeiçoar sua arte. Existem outras escolas que adotam a chamada "pequena espada longa", *kodachi*, e a partir daí procuram pôr em prática os seus mandamentos. Outras ainda inventam diferentes estilos no uso de espada longa e transmitem suas normas, considerando suas posições de guarda como modelos básicos e essenciais.

Neste capítulo, exponho com clareza por que essas escolas não representam os verdadeiros mandamentos da arte militar, explicando ao leitor suas virtudes e vícios, o certo e o errado. Os princípios da Escola *Ichi* têm

---

[1] Musashi discute em nove artigos os pontos divergentes no tocante ao espírito e à técnica da arte militar entre a Escola *Ichi* e as outras e procura informar claramente os pontos essenciais da Escola *Nitô* (Duas Espadas), ou *Nitô-Ichi*, como ele também a chama.

significados muito especiais. As outras escolas, embora incluídas na categoria de arte militar, fazem dela um simples meio de vida, apresentam-se sob sedutores enfeites, fazem desabrochar flores para vender, razão pela qual fogem dos verdadeiros mandamentos da arte militar.

Existem ainda correntes que se limitam apenas à arte da esgrima, ensinando o manejo da espada longa e pequenas habilidades do corpo e das mãos. Poderão seus discípulos aprender a vencer? Nenhuma delas representa os verdadeiros mandamentos da arte militar. Os defeitos de outras escolas são revelados um por um neste livro.

Convido o leitor a examinar bem o exposto a fim de compreender as vantagens da Escola *Nitô-Ichi*.

O USO DE ESPADAS EXTRALONGAS EM OUTRAS ESCOLAS

Algumas escolas dão preferência a espadas extralongas. Mas, do ponto de vista da nossa escola, nós as consideramos fracas, porque desconhecem o princípio de vencer o inimigo em qualquer circunstância. Acreditam que, dispondo de uma espada mais comprida, podem vencer o inimigo a uma distância maior, pois ficam fora de seu alcance. Esse o motivo de darem preferência à espada extralonga, fazendo jus ao ditado popular que diz: "Vantagem de uma polegada a mais na mão".

Essa observação só pode ser feita por alguém que ignore a arte militar e que, sem conhecer os verdadeiros princípios dela, acredita poder vencer à longa distância pelo simples fato de portar uma espada mais comprida. Isso só ocorre com alguém de espírito fraco. Trata-se, pois, de uma arte militar frágil.

No caso de o adversário encontrar-se perto e ser preciso travar luta corpo a corpo, quanto mais longa a espada, mais difícil será golpear com ela, que acaba se tornando um obstáculo e deixando o guerreiro em desvantagem, mesmo contra quem esteja empunhando uma pequena *wakizashi*. Aquele que prefere a espada extralonga terá o seu argumento, mas trata-se apenas de uma razão pessoal. Do ponto de vista dos verdadeiros mandamentos, não existe nenhuma razão para isso.

Não dispondo de espada extralonga, será motivo certo de derrota usar a espada curta? No caso de não se dispor de nenhum espaço acima, abaixo ou dos lados e de se dispor somente de espada curta *wakizashi*, preferir a espada extralonga constitui manifestação de descrença na arte militar, atitude que é condenável.

Existem pessoas de força física menor.[2] Desde a antiguidade se diz: "Grandes e pequenos andam juntos", ou seja, não se deve desprezar o comprido sem motivo. Condena-se apenas o espírito tendencioso, que busca se apoiar unicamente na espada extralonga.

Em termos de arte militar aplicada a combate de exércitos, a espada extralonga equivale a uma força

---

2 Numa edição popular, lê-se: "Existem pessoas que usam espada curta e outras que, por motivo de sua estatura, não podem usar a espada longa". Teria havido erro de cópia?, pergunta o professor Watanabe.

numerosa, enquanto a curta pode ser comparada a uma pequena tropa.

Não poderia haver, então, embate entre uma força grande e uma pequena? Existem muitos exemplos de que é possível a uma pequena força derrotar um grande exército adversário.

Na nossa Escola *Ichi*, reprovamos o espírito preconceituoso e estreito.

É preciso examinar muito bem este assunto.

EMPREGO DA FORÇA BRUTA EM OUTRAS ESCOLAS

Não há espada longa forte nem espada longa fraca. A espada longa brandida com espírito de valorizar exclusivamente a força bruta perde em precisão, resultando grosseiro o seu golpe. Recorrendo-se unicamente à força bruta, é difícil conseguir a vitória. Em se tratando de espada longa aplicada com força, quem se apoiar somente na força bruta, no momento de golpear o adversário, não conseguirá cortá-lo. Mesmo no caso de testar o fio da espada para verificar sua qualidade, é desnecessário recorrer apenas à força bruta. Ao se bater em duelo por motivo de vingança, ninguém luta cogitando se vai cortar o inimigo de modo violento ou suave – o importante é matar o inimigo.

Quando se busca abater o inimigo com golpes de espada, não se deve pensar em fazê-lo com espírito forte ou, muito menos, fraco. O importante é acabar com ele, cortando-o e matando-o. Se, com um golpe de espada longa, batermos na espada do adversário com excesso de força, poderemos provocar desequilíbrio do nosso corpo, alcançando com isso maus resultados. E há, ainda, o risco de bater com força na espada inimiga e a espada longa quebrar-se. Por isso, não tem sentido esgrimir com a espada longa apenas aplicando a força.

Na arte militar relativa a combate de exércitos, quando se dispõe de grande número de soldados bem-treinados e se procura vencer o combate somente por meio da força, o inimigo poderá fazer o mesmo, arrebanhando forças poderosas. As coisas ficarão iguais para os dois lados. Em tudo, para vencer, é necessário recorrer à razão.

Nos nossos mandamentos, não levamos em conta métodos irracionais, e sim o espírito de buscar o triunfo com o poder da inteligência da arte militar.

Ponderar e meditar sobre o que foi dito.

OUTRAS ESCOLAS QUE USAM ESPADA LONGA MAIS CURTA

Usar só a espada longa-curta para vencer não consta dos verdadeiros mandamentos da arte militar.[3] Desde a antiguidade, a *tachi* e a *katana*[4] são conhecidas porque representam, respectivamente, a arma longa e a arma curta.

---

3 Na época, havia muitas escolas de esgrima que incluíam em seus currículos o adestramento com a espada curta, como a chamada *kodachi* ("pequena espada longa"), ensinando também o manejo das armas brancas de lâmina curta.

4 A *tachi*, espada longa, mede mais de três *shaku* (este equivale a 30 centímetros) e a *katana*, ou *uchigatana*, de dois a três *shaku*; a *wakizashi*, espada curta, tem de dois a três *shaku* e a *tantô* é uma adaga com menos de dois *shaku*.

Homens fisicamente fortes podem brandir com facilidade a espada extralonga, razão por que não há motivo para eles preferirem a espada curta. Por isso, usam armas mais compridas, como a lança e a *naginata*. Com a espada longa-curta, pretender atacar o adversário num momento de falha na guarda da sua espada longa, ou assaltá-lo, ou, ainda, agarrá-lo, constitui tática condenável, por ser unilateral.

Outrossim, aproveitar o descuido do inimigo representa manifestação de espírito que conduz a lentidão e a complicação na manobra, o que é condenável. Quem, com a arma curta, tentar penetrar ou arrebatar algo do inimigo superior em número faz um esforço inútil.

Aqueles que usam espada longa-curta e querem golpear numerosos adversários saltando livremente de um inimigo a outro, esgrimindo mal, acabam sempre em posição defensiva, com o espírito confuso – fugindo, portanto, dos verdadeiros mandamentos da arte militar. O caminho certo para vencer é, pois, manter o corpo reto e firme, atacar o antagonista, fazê-lo pular e confundir-se.

Na arte militar de batalha entre exércitos, adota-se o mesmo princípio. Com grande número de homens, ataca-se sem perda de tempo, assaltando[5] de surpresa a força adversária e destruindo-a na hora. Eis o que é essencial na arte militar.

---

5 O verbo *shiosu*, aqui usado, pode ser interpretado como encurralar, assaltar ou cercar pelos quatro lados.

Fora das batalhas, ao aprender dos outros em tempos normais, a pessoa tem a oportunidade de treinar aspectos da luta, como aparar, escapar, evitar ou ocultar-se da espada inimiga. Em caso de emergência, prender-se a essas minudências da técnica significa ser eliminado pelos inimigos. Os mandamentos da arte militar são corretos e justos; é essencial ter o espírito de perseguir os adversários com princípios justos e dominá-los.

ESCOLAS COM MUITOS ESTILOS NO USO DAS ESPADAS LONGAS

Exibir aos principiantes vários estilos de golpes de espada longa e fazer dos mandamentos objeto de comércio, ensinando numerosas técnicas só para impressionar, é um comportamento rejeitado pela arte militar. É um modo equivocado de sugerir a existência de muitos modos de cortar pessoas com a espada.

No mundo, não existem mandamentos diferentes para cortar pessoas com a espada. Matar é uma coisa só, tanto para homens que conhecem a técnica quanto para os que não as conhecem, sejam homens, sejam mulheres ou crianças. Não há tantos modos diferentes de matar com a espada. Além de cortar, temos métodos como perfurar e ceifar. Seja como for, trata-se de mandamentos para acabar com o inimigo, não havendo razão para que existam em grande número.

Todavia, conforme o local e as circunstâncias, como no caso de obstrução do espaço acima da cabeça ou dos lados do corpo, a espada longa não poderá ser usada. Nesses casos, existem cinco meios de sair do aperto, chamados as cinco posições de guarda.[6]

Além dessas técnicas, é inútil acrescentar de propósito outras, como de torcer o pulso, curvar o corpo, saltar ou recuar, abrindo espaço para golpear um homem, porquanto elas não fazem parte dos verdadeiros mandamentos. É absolutamente impossível cortar um homem torcendo as mãos, curvando o corpo, saltando ou dando voltas. Isso tudo é inútil.

Em nossa arte militar, agimos com a reta postura do corpo e do espírito, forçando o adversário a se curvar, a se entortar. Aproveitamos então a confusão e a inquietação criadas no seu espírito para derrotá-lo.

Vencer assim é essencial.

POSIÇÃO DE GUARDA COM A ESPADA LONGA EM OUTRAS ESCOLAS

É um equívoco confiar demasiadamente nas posições de guarda com a espada longa. O que se conhece entre nós como "guarda" deve ser aplicado apenas na ausência de um inimigo a enfrentar. Estabelecer como norma que é preciso recorrer aos exemplos existentes desde a antiguidade e aos casos atuais não deve figurar nos mandamentos da luta.

É essencial planejar para colocar o adversário em situação desfavorável.

---

6 As cinco posições de guarda são: alta, mediana, baixa, lateral direita e lateral esquerda.

Em todos os casos, pôr-se em guarda significa organizar uma posição firme e inabalável. Em caso de defesa de um castelo ou de uma frente de batalha, é preciso manter o espírito intimorato, mesmo diante de forte ataque do adversário. Essa é a regra normal.

Contudo, nos mandamentos da luta na arte militar, o importante é ter a iniciativa, adiantar-se sempre e em tudo. Assumir a posição de guarda implica esperar que o inimigo tome a iniciativa.

É imperioso meditar bem sobre o assunto.

De acordo com os mandamentos sobre embates na arte militar, deve-se provocar a quebra da guarda do antagonista, agindo de modo imprevisível, ou produzir nele uma ação precipitada; assustá-lo, irritá-lo ou amedrontá-lo e aproveitar a quebra do seu ritmo para derrotá-lo. É detestável o espírito de se colocar em guarda, de "agir depois".[7] Por essa razão, na nossa escola, "estar em posição de guarda é não estar em posição de guarda".

Na arte militar referente a combate de exércitos, é preciso conhecer o número dos inimigos, o terreno do campo de batalha, ter noção da quantidade de nossos homens, organizá-los segundo suas qualificações e assim iniciar o combate. Eis o essencial para uma batalha.

---

[7] Musashi defende a tática de tomar a iniciativa ou adiantar-se ao inimigo. Ele acredita que a vitória é certa quando se toma a dianteira. E qualifica de "guarda" (*kamae*) a atitude de esperar a iniciativa do adversário, condenando o "espírito de atar as mãos atrás".

Entre deixar que o inimigo tome a iniciativa e nós atacarmos primeiro existe uma diferença duas vezes maior no resultado (favorável ou negativo) do embate.

Colocar a espada em posição de guarda, interceptar a espada longa inimiga e dar um golpe é como bater sobre uma cerca de madeira[8] com chuço ou espada extralonga. Para avançar sobre o adversário, é necessário ter a disposição de arrancar as estacas da cerca e usá-las como lanças ou como espadas extralongas.

Examinar bem o assunto.

FIXAR O OLHAR, SEGUNDO OUTRAS ESCOLAS

Entre as diferentes escolas, há aquelas favoráveis a que se fixe o olhar na espada longa do inimigo; outras, nas mãos; outras, no rosto; outras, ainda, nas pernas. Contudo, fixar o olhar em determinados pontos, segundo essas indicações, pode levar confusão ao espírito, acabando por se tornar um mal para a arte militar.

Podemos explicar melhor. O jogador de bola[9] não fixa muito os olhos na bola, mas aplica sua técnica com perfeição, seja chutando a bola que desliza pelo corpo

---

8 Em última análise, a atitude defensiva é igual a brandir chuços e espadas extralongas – armas compridas – por trás da cerca de madeira. Assim, não dá para golpear o inimigo.

9 Havia no Japão antigo um jogo de bola chamado *kemari* ("chutar bola"). Era um divertimento da nobreza palaciana de Kyoto. Usava-se bola de couro, chutada com sapato de couro, e o objetivo era manter a bola no ar, sem deixá-la cair no chão. Começou no período Heian (séculos VIII a XII).

até o pé, seja enquanto persegue a bola, ou, ainda, quando vira o corpo. A pessoa que se acostuma com as coisas não tem necessidade de ver com os olhos, exatamente. Por exemplo: os que praticam acrobacia, uma vez adestrados, conseguem carregar a folha de uma porta com o nariz; fazer prestidigitação com espadas como se fossem pelotas, tudo sem fixar os olhos nos objetos com que lidam. Familiarizados por treinos diários, eles os movimentam com naturalidade, enxergando-os sem esforço especial.

Também nos mandamentos da arte militar, depois de muitas lutas, a pessoa se habitua a entender o adversário, a perceber a lucidez ou não do seu espírito. E, uma vez dominados os mandamentos, torna-se capaz de enxergar perfeitamente a proximidade ou a distância, a rapidez ou a lentidão da espada longa. Ou seja, ela aprende a ver na totalidade. Na arte militar, o olhar serve, regra geral, para ler o estado de espírito do antagonista.

No caso da arte militar aplicada a combate de exércitos, o olhar calcula a posição da força inimiga. Existem, nesse caso, duas maneiras de olhar: o forte e o fraco. Na primeira, com o olhar forte, é possível perceber o estado de espírito do inimigo, sua localização, e com maior atenção ainda se poderá seguir a marcha da luta, o fortalecimento ou o enfraquecimento da tropa adversária – importante meio de assegurar a vitória.

Tanto na arte militar aplicada ao embate de exércitos como no duelo individual, é dispensável fixar o olhar em pormenores, negligenciando as coisas importantes. O espírito ficará confuso e a vitória certa lhe escapará.

Examinar bem esta vantagem e treinar muito.

O USO DOS PÉS EM OUTRAS ESCOLAS

Existem muitas maneiras de usar os pés: com pés flutuantes, saltadores, puladores, pisadores (que pisam firmemente e não se movem), com pés de corvo[10] e outros passos rápidos. Do ponto de vista da nossa arte militar, todas essas maneiras são insatisfatórias.[11]

Rejeitamos os pés flutuantes porque, uma vez iniciado o combate, os pés certamente tenderão à vacilação. Conforme os nossos mandamentos, é melhor ter os pés pisando com firmeza.

Não aprovamos os pés saltadores, porque a pessoa se habitua a saltar e, então, fica presa a esse hábito, perdendo a liberdade da movimentação seguinte. Não há necessidade de saltar muitas vezes. Por isso, os pés saltadores são condenados. Existem outros modos de pisar, como o de corvo, e diversas formas de executar passos rápidos. Existem ainda casos de troca de golpes de espada com o adversário em charcos, em terreno pantanoso,

---

10 "Pés de corvo": saltar para a direita e para a esquerda.

11 Musashi sustenta que na Escola *Niten-Ichi* pisa-se pelo método *in-yô* (*yin-yang*). Segundo os modos de golpear aqui mencionados, o peso do corpo recai sobre um dos pés, causando desequilíbrio no momento de manejar a espada longa.

em córregos de montanhas, campos pedregosos ou trilhas estreitas. Desse modo, dependendo do local de combate, é impossível saltar ou pisar rápido.

Na nossa arte militar, os movimentos dos pés são sempre os usuais, como no caminhar normal. Conforme o ritmo do adversário, tanto na hora de se apressar como nos momentos de calma, é preciso ajustar a posição do corpo, andar sem pressa demasiada nem lentidão excessiva, a fim de evitar a perda de cadência no caminhar.

Na arte militar dos exércitos em combate, os movimentos dos pés são importantes. Isso porque, se atacar impensada e precipitadamente, sem conhecer as intenções do antagonista, a pessoa perderá o ritmo e dificilmente alcançará a vitória. Por outro lado, se os pés forem lentos demais, não se poderá notar a vacilação ou o colapso do inimigo, deixando escapar a oportunidade de vencer. Dessa maneira, será impossível chegar a uma decisão rápida. O essencial é vencer, percebendo a confusão e a indecisão do adversário e não lhe dando nunca nenhuma folga para reagir.

Treinar muito bem.

A RAPIDEZ NAS OUTRAS ESCOLAS

A rapidez da espada na arte militar não faz parte dos verdadeiros mandamentos. Em todas as coisas, a falta de harmonia com o ritmo gera a questão da rapidez. O trabalho de um perito em uma arte ou profissão não parece rápido. Temos, por exemplo, o caso de um mensageiro expresso[12] que percorre 160-200 quilômetros por dia sem, contudo, correr a toda velocidade o tempo todo, de manhã à noite. Quem não tiver prática na corrida, embora corra o dia todo sem parar, terá rendimento insatisfatório.

No teatro *noh*, se um mau cantor acompanha outro, excelente, produz-se um descompasso, criando-se em seu espírito uma sensação de atraso, o que provoca nele a preocupação de apressar-se. Na peça *Oimatsu* ("Velho pinheiro"), também do teatro *noh*, embora o acompanhamento de tambor e tamborim seja de ritmo até tranquilo, novatos tendem a atrasar-se, e o espírito deles se inquieta. O ritmo do canto *Takasago*[13] é rápido, mas é reprovável executá-lo de forma apressada.

Diz-se que muita vezes a pressa pode acabar em tombo, por sair do ritmo. Naturalmente, a lentidão é igualmente ruim. No caso em questão, quando executado por bons cantores, o ritmo parece lento, mas é perfeito, sem falhas. Tudo o que é realizado por perito parece sem pressa nem urgência.[14] Com esses exemplos, será possível conhecer a verdade dos mandamentos.

---

12 Trata-se de um serviço de transporte de correspondência, valores e objetos existente no período Tokugawa (1603-1867), precursor do atual serviço de correios.

13 A canção *Takasago*, do *noh*, é cantada no decorrer da cerimônia de casamento.

14 Não parece rápido ao observador. Trata-se de discernir o que é rápido e o que é lento, o que é ritmo e o que é intervalo ou pausa.

Observemos que, particularmente nos mandamentos da arte militar, a rapidez é condenada. Pelo fato de que, conforme o local – um pântano ou arrozal de muita lama, por exemplo – é muito difícil movimentar o corpo e as pernas depressa. Em especial, é impossível golpear rápido com a espada longa. Apressar-se no golpe não é como usar leque ou espada curta. Procurando cortar só com a força da ponta do dedo, não se cortará nada.

Discernir bem tudo isso.

Na arte militar aplicada a combate de exércitos, é igualmente condenável o espírito de rapidez e pressa. Com o espírito de prender o travesseiro, a pessoa nunca se atrasará. Quando alguém se precipita sem motivo, é preciso contrariá-lo, permanecendo calmo. Não ser arrastado por outrem é muito importante.

É imprescindível treinar e exercitar-se no que diz respeito a esse estado de espírito.

O QUE OUTRAS ESCOLAS ENTENDEM POR PROFUNDO E POR SUPERFICIAL

No que diz respeito à arte militar, o que se pode chamar de superficial e o que se considera profundo? Em diferentes artes ou atividades, existe um portal para alcançar a perfeição última ou a tradição secreta. Mas, quanto aos princípios relativos ao momento de cruzar a espada com o antagonista, não cabe dizer que se luta com superficialidade ou que se corta com profundidade.

Segundo o método da nossa arte militar, ensina-se aos principiantes a técnica mais simples, ministrando-lhes os princípios para sua fácil compreensão, de acordo com seu grau de adiantamento. Quanto àqueles princípios de assimilação difícil, serão ministrados de acordo com o desenvolvimento da capacidade de entendimento do interessado, levando-o a aprender gradativamente os princípios mais profundos. No entanto, como regra geral, ensina-se, por exemplo, o que fazer na prática quando em luta contra o inimigo. Assim sendo, não há necessidade de tocar no assunto da profundidade ou "portal para conhecer a perfeição última".

Por isso, neste mundo, ao procurar chegar ao âmago da montanha mediante tentativas de penetrar cada vez mais fundo, acabamos quase sempre voltando à porta de entrada. Em quaisquer mandamentos, existem casos práticos em que a profundidade, ou perfeição última, é muito valiosa, e há casos em que o superficial é suficiente. Sobre esses princípios de luta, o que ocultar e o que revelar? Diante da dúvida, ao transmitir meus mandamentos, não gosto de exigir promessas escritas[15] dos meus discípulos. Procuro conhecer a capacidade intelectual de cada um, ensino-lhes o método direto dos mandamentos, fazendo-os abandonar os vícios e desvios adquiridos no

---

15 Uma promessa escrita, dirigida aos deuses do xintoísmo e a Buda, com assinatura e "selo de sangue", era hábito entre samurais ao firmar compromissos de honra. Em algumas escolas de esgrima, exigia-se essa formalidade no ingresso, na promoção e em diversas fases do curso de treinamento. Essa prática deu origem à "venda de diplomas" em estabelecimentos de arte marcial pouco sérios.

decorrer do processo de adestramento da arte militar, de tal modo que se integrem naturalmente nos verdadeiros mandamentos das leis de samurai. Desenvolver o espírito de samurai, sem nenhuma dúvida, eis o ensinamento dos mandamentos da nossa escola.

Deve-se, pois, treinar muito bem.

• • • •

Expus em linhas gerais, nos nove artigos do Capítulo do Vento, a arte militar de outras escolas. Embora devesse descrever com minúcias desde o portal até a perfeição última, não indiquei nem os nomes delas nem suas características mais importantes. Isso porque, em cada escola, o julgamento e a explicação de seus mandamentos podem ser algo diferentes, conforme as pessoas, seu espírito e seu pensamento. Assim sendo, existem também interpretações diferentes, mesmo em relação a uma escola, razão pela qual, pensando no futuro, não registrei de quais escolas ou de que estilos de esgrima se tratava.

Por isso, dividi e comentei em linhas gerais as outras escolas nos nove artigos já referidos. Observando do ponto de vista moral do mundo e da razão dos homens, verificamos que eles ora se inclinam a preferir a espada longa, ora prestigiam a espada curta, ora, ainda, apresentam tendência a se preocupar só com a força ou a fraqueza, o grosseiro ou o refinado. Afinal, todas essas atitudes são tendenciosas. Assim sendo, mesmo sem revelar os aspectos mais profundos ou superficiais de outras escolas, todos devem procurar compreender.

Na minha Escola *Ichi*, não há portal para a perfeição última da espada longa e não há limites nas posições de guarda. Alcançar a virtude pelo espírito, tão-somente, eis a quintessência da arte militar.

5
VÁCUO

Com o título de Capítulo do Vácuo,[1] escrevo aqui sobre os mandamentos da Escola *Nitô-Ichi* de arte militar.

O espírito do vácuo é a ausência das coisas, o desconhecido. Naturalmente, o vácuo é o nada. Conhecendo o que existe, toma-se conhecimento do nada. Eis o vácuo. No mundo, há quem, partindo de um ponto de vista vulgar, interprete como vácuo aquilo que lhe parece incompreensível. Na verdade, esse vácuo não é verdadeiro, mas apenas o fruto da confusão do espírito.

Mesmo nos mandamentos da arte militar, samurais que ignoram as leis de sua classe no cumprimento dos mandamentos de guerreiro não alcançam o sentido do vácuo. Como resultado de suas confusões e perplexidades, consideram a indefinição como o vácuo. Naturalmente, isso não é o verdadeiro vácuo.

Para alcançar o entendimento do vácuo, o samurai deve aprender de modo seguro os mandamentos da

---

[1] Depois dos quatro capítulos precedentes, Musashi expõe os princípios fundamentais, ou seja, a quintessência dos seus princípios, que se resumem na expressão *Banri Ikkú* – todo o conhecimento das partes se reduz à apreensão do uno, de forma imediata e sem intermediação. Ele mesmo declara que é muito difícil explicar esses princípios. Por isso, pede para cada um refletir.

arte militar e, além disso, dominar perfeitamente as artes marciais, praticar com decisão e firmeza espiritual os deveres de samurai. E aperfeiçoar com tenacidade e diligência o espírito e a vontade, aguçando a capacidade de percepção e de visão, eliminando qualquer nuvem de dúvida. Só então conhecerá o verdadeiro vácuo.

Enquanto ignorar a essência dos verdadeiros mandamentos e não se apoiar nas leis do budismo nem nas leis terrestres, cada qual julga que seus mandamentos são os certos e corretos. Contudo, à luz dos verdadeiros mandamentos do espírito *jikidô*[2] e segundo as grandes leis do mundo, está se desviando da essência dos verdadeiros mandamentos por causa da preferência pessoal, ou parcialidade, e da distorção da visão. Conheça o espírito dos verdadeiros mandamentos, tenha a justiça como fundamento, o verdadeiro espírito como mandamento, para praticar amplamente a arte militar, com justiça, limpidez e grandeza, considerando o vácuo como os mandamentos e os mandamentos como o vácuo.

No vácuo há o bem, e não o mal. Só quando dotado da sabedoria, das razões e dos mandamentos da arte militar é que se elimina qualquer pensamento irrelevante e se alcança o estágio espiritual do vácuo.

Aos 12 de maio do ano 2 da Era Shoho (1645)
Shinmen Musashi
Ao senhor Terao Magonojô

---

[2] *Jikidô* seria, na língua búdica, o estado de Buda alcançado depois de muitas práticas ascéticas.

SOBRE O TRADUTOR

Japonês da pátria filho

MIRIAN PAGLIA COSTA

José Yamashiro (1913-2005) nasceu no Brasil, sendo o primogênito de uma família originária da ilha de Okinawa (Japão). Embora passando a infância na zona rural (Cedro-SP), foi um jovem estudioso, bem-informado e ativamente envolvido na integração dos japoneses à vida social e cultural do país de imigração. Ele se ligaria depois, pelo casamento, à família Onaga, que deu ao Brasil excelentes jornalistas, e seguiu também esse caminho profissional, geralmente em dupla com o cunhado Hideo Onaga, outro grande nome da imprensa brasileira.

Antes dos 20 anos, se alistou como voluntário na Revolução Constitucionalista de 1932, tornando-se um dos poucos nisseis a pegar em armas por São Paulo em luta pela volta do país ao estado de direito após a Revolução de 1930. Alguns anos depois, iniciou carreira como tradutor e jornalista. A partir de 1936, assumiu no jornal de São Paulo *Nippak Shimbun* ("Jornal Nipo-Brasileiro", 1916-1941) uma coluna redigida em português. Depois, passou por diversos jornais, entre eles *Folha da Manhã* (atual *Folha de S. Paulo*) e

O Tempo, neste, com Hermínio Sachetta; trabalhou durante 14 anos na revista *Visão* (1953-1967), cuja redação paulista chegou a dirigir, assim como dirigiu a revista *Mundo Econômico*. Atuou por muitos anos na Cooperativa Agrícola de Cotia, em publicações do grupo e traduzindo textos. Perfeito conhecedor dos idiomas japonês e inglês, foi tradutor juramentado por concurso feito em 1940, *stringer* do grupo McGraw Hill (*Business Week*) e trabalhou na agência Associated Press (AP). A partir de fevereiro de 1970, com o também pioneiro Hideo Onaga, dirigiu o projeto de reformulação da revista *Indústria e Comércio*, da Federação da Indústria do Estado de São Paulo (Fiesp), permanecendo na publicação até dezembro de 1980.

Em paralelo, incansável estudioso e divulgador da cultura japonesa, José Yamashiro encontrou tempo para pronunciar dezenas de palestras e conferências, participar de importantes simpósios, escrever ensaios e matérias sobre o tema, além de publicar 20 livros. Desde os autorais, caracteristicamente histórico-jornalísticos, como *Jânio, vida e carreira do presidente* (1969) – ele havia dividido um escritório com o ainda jovem advogado Jânio Quadros, antes da carreira política –, *História dos samurais* (1987), *Okinawa: Uma ponte para o mundo* (1997), até as traduções de literatura, como *Lendas antigas do Japão*, de Kikuo Furuno (1957), os ensaios literários, como *O haicai no Brasil*, de Goga Masuda (1988), os textos biográficos, como *Yamamoto, a história do homem que atacou Pearl*

Harbor, de Hiroyuki Agawa (1966), e *Gorin no sho*, de Miyamoto Musashi (1992). Foi ele também quem traduziu, dessa vez do inglês e em colaboração com Leônidas Gontijo e Brenno Silveira, os volumes do clássico *História da Civilização*, de Will Durant.

Aos 88 anos, lançou a edição corrigida de *Trajetória de duas vidas* (2001), obra memorialística na qual traduz os diários de seu pai e inclui seu próprio caminho, das experiências de menino carvoeiro no interior paulista às viagens pelo Brasil e pelo mundo como repórter. Com isso, associou imigração e integração numa obra de interesse literário e antropológico.

Gorin no sho foi um grande desafio para ele. Tomou como base o texto do século XVII e só com o trabalho bem adiantado, depois de muito quebrar a cabeça em cima do texto medieval, recebeu do Japão uma edição do livro com o japonês antigo "traduzido" para o japonês moderno. Pôde então verificar seus acertos no cumprimento da tarefa – com a modéstia de sempre e o empenho que o levava a pesquisar sem esmorecer, recorrendo a todas as fontes possíveis.

A mim, por exemplo, que o desafiei a encarar essa tradução, ele confiou a tarefa de negociar com a editora japonesa as notas de rodapé da edição trabalhada. Eram tão boas e esclarecedoras, disse, que as queria no livro, como homenagem ao seu autor, Ichiro Watanabe. Na Feira de Frankfurt de 2000, também consegui cumprir minha tarefa após um difícil diálogo com os representantes da Iwanami Shoten: eles queriam cobrar pelas notas o que nós, brasileiros, pagávamos então pelos direitos de um livro inteiro e não conseguiam entender como um país tão grande tem tão poucos leitores (a cessão de direitos era calculada sobre a expectativa de tiragem da obra).

Enfim, com as notas originais, a tradução de José Yamashiro pôde devolver ao livro de Musashi sua autenticidade: tirou os "anéis" do título equivocado e deu ao leitor a possibilidade de penetrar no pensamento do autor sem ser induzido a raciocinar no "administrês" global das outras versões. Mais um gol do velho e saudoso Yama, que, além de tudo o mais, era um príncipe da mansidão e da gentileza.

O título deste pequeno texto é um empréstimo do blog (http://japonesdapatriafilho.blogspot.com/) mantido por Alexandre Sakai na internet. Maravilhoso por seu humor, ao fazer paródia da paródia – lembro que a primeira estrofe do *Hino da Independência* era iniciada satiricamente como "Japonês tem quatro filhos", em vez do original "Já podeis da pátria, filhos" –, ele cabe feito luva a um homem duplamente patriota, no mais alto sentido, como foi José Yamashiro.

CRONOLOGIA

VIDA DE MIYAMOTO MUSASHI

Data	Idade	Fato
1584	0	Nasce Miyamoto Musashi.
1591	7	Musashi é adotado e criado por seu tio na religião budista.
1596	13	Musashi duela com Arima Kihei em Hirafuku, província de Hyôgo.
1599	15	Duela com um homem denominado Akiyama ao norte da província de Hyôgo.
1600	16	Acredita-se que tenha lutado na Batalha de Sekigahara (1600), que iniciou o Xogunato Tokugawa (casa de Edo), nas hostes do exército derrotado do clã Toyotomi (casa de Osaka).
1604	20	Musashi tem três lutas com o clã Yoshioka em Kyoto: (1) com Yoshioka Seijuro, (2) com Yoshioka Denshichiro e (3) com Yoshioka Matashichiro.
1604	20	Visita Kofuku-ji, em Nara, onde acaba duelando com um monge budista treinado no estilo *Hôzôin-ryû*.
1605-1612	21-28	Reinicia suas viagens.
1607	23	Munisai, pai de Musashi, repassa seus conhecimentos e responsabilidades ao filho.
1607	23	Duela com o Shishido Baiken, perito em *kusariga ma*, arma metálica de cabo curto com foice no alto e bola de ferro na ponta de uma corrente.
1608	24	Duela com Muso Gonnosuke, mestre do *rokushaku-bo* (bastão) em Edo, a Tóquio atual.

1610	26	Luta com Hayashi Osedo e Tsujikaze Tenma em Edo (Tóquio).
1611	27	Começa a praticar meditação *zazen* (meditação sentada), central no zen-budismo.
1612	28	Duela com Sasaki Kojirô na ilha de Ganryujima.
		Abre escola de esgrima, que dura pouco tempo.
1614-1615	30-31	Acredita-se que se juntou às tropas de Tokugawa Ieyasu nas Campanhas do Inverno e do Verão, no Castelo de Osaka, embora não haja documentação sobre sua contribuição.
1615-1621	31-37	Trabalha a serviço de Ogasawara Tadanao na província de Harima como supervisor de construção.
1621	37	Duela com Miyake Gunbei em Tatsuno, província de Hyôgo.
1622	38	Estabelece residência temporária na cidade-fortaleza de Himeji, província de Hyôgo.
1623	39	Viaja para Edo (Tóquio).
		Adota um segundo filho, que chama de Miyamoto Iori.
1626	42	O primeiro filho adotivo, Miyamoto Mikinosuke, pratica *seppuku* (haraquiri), seguindo a tradição do *junshi* – suicídio ritual após a morte de seu senhor, Honda Tadatoki.
1627	43	Viaja de novo.
1628	44	Musashi se encontra com Yagyû Hyôgonosuke, o célebre Toshiyoshi, criador de um estilo de luta de espada no início do Período Edo. Dois guerreiros legendários, em vez de lutar, eles conversam sobre sua arte.
1630	46	Entra no serviço do senhor feudal Hosokawa Tadatoshi.
1633	49	Começa a praticar intensa e extensivamente todas as artes do verdadeiro samurai.
1634	50	Estabelece-se com o filho Iori por um curto período em Kokura, província de Fukuoka, como hóspede do senhor (*daimiô*) Ogasawara Tadazane.

1637	53	Tem papel determinante na Revolta de Shimabara. Sabe-se que um camponês rebelado o derrubou de seu cavalo com uma pedrada.
1641	57	Escreve o pequeno tratado *Heihô Sanjûgo-jô*.
1642	58	Sofre fortes ataques de neuralgia.
1643	59	Migra para a caverna Reigandô, onde vive como ermitão.
1645	61	Termina de escrever *Gorin no sho/O livro dos cinco elementos*.
		Morre, presumivelmente de câncer torácico (estômago), em 13 de junho.

FONTE: Verbete na Wikipédia:
<http://en.wikipedia.org/wiki/Miyamoto_Musashi>

facebook/novoseculoeditora
@novoseculoeditora
@NovoSeculo
novo século editora

fontes
Electra LT Std | Trajan Pro

gruponovoseculo.com.br